小学館学習まんがシリーズ

名探偵コナン実験・観察ファイル

サイエンスコナン

SCIENCE CONAN

防災の不思議

原作／青山剛昌　監修／川村康文（東京理科大学教授）
構成／新村徳之（DAN）

みなさんへ── この本のねらい

コナンと一緒に"防災テク"を身につけよう！

東京理科大学　理学部物理学科　教授　川村康文

　9月1日は防災の日。みんなは知っていたかな？　防災の日は、1923年9月1日に発生し、関東地方に大きな被害をもたらした関東大震災にちなんだものなんだ。

　でも、防災の日に限らず、地震はいつでも思いがけない時にやってくるもの。2011年3月11日の東日本大震災や、2016年4月14日の熊本地震は、みんなの記憶にもまだ生なましく残っているはずだ。このように、日本ではいつでも防災の準備をしておかないといけないよ。だから、防災教育が大切といわれ、学校でも地域でもいろいろな

対策をしているね。

　ぼくも小学生のころ、学校の防災訓練で、教室の机の下にもぐったりしたよ。消防士さんから消火器の使い方を教えてもらったことも、しっかりと覚えているよ。防災テクニックはとっても大切。だから、ぼくも「防災訓練の歌」の動画をユーチューブにあげて、防災テクを紹介しているんだ。コナンたちが活躍するこの「防災の不思議」と合わせて、家庭での防災にぜひ役立ててね。

www.youtube.com/watch?v=BMMYSSXMXiU

もくじ　防災の不思議

みなさんへ──この本のねらい…2

FILE.1 防災の第一歩は、まず知ること!!…7

あ、学校で地震だ!!／地震が起こったら、まず机の下!!／地震はどうして起こるの?／地震はこうして起こる!!①／地震はこうして起こる!!②／自分の部屋を防災点検しよう!!／地震に"強い"部屋をつくろう!!／もしも自宅で地震が起こったら…／まずはやっぱりテーブルの下へ!!／自宅から避難する時にすべきこと／地震と火事／火が燃える仕組みと消火法／火事の時は煙から逃げろ!!／津波はどうして起こるの?／津波はこうして起こる!!／津波から避難する時の鉄則／台風はどうして起こるの?／台風はこうして起こる!!／台風に備えるための鉄則／台風による災害①　〜洪水〜／台風による災害②　〜土砂崩れ〜／竜巻と台風って何がちがうの?／竜巻と台風はここがちがう!!／台風の仲間と竜巻の種類／もしも雷が鳴りはじめたら…／雷が鳴りはじめた時の鉄則／雷の放電実験に挑戦!!／もしも大雪が降ったら…／大雪には、こう対処しよう!!／火山はど

うして噴火するの？／火山が噴火するメカニズム／火山がもたらしてくれる恵み／日本のおもな活火山／異常気象が増えている!?／異常気象への対処法

防災キーワード 線状降水帯…78

FILE.2 防災の二歩目は、過去に学ぶこと!!…79

過去の地震災害に学ぶ／過去の津波災害に学ぶ／過去の台風災害に学ぶ／竜巻と昔ばなし／過去の火山災害に学ぶ

防災キーワード バックドラフト…90

FILE.3 防災の三歩目は、サバイバル力 !! …91

災害に備えて用意すべきもの／非常用持ち出し袋の中身はこれ !! ／防災のためにしておくべきこと／防災対策 5 プラス 1 ／身近に潜む危険な場所／危険な場所をマップに書き込もう／もしも倒れている人がいたら…／知識としての救命処置①／知識としての救命処置②／"RICE の法則"って何だろう？／応急処置の 4 原則はこれだ !! ／断水だ！　飲み水がない !! ／飲み水を手に入れる方法①／飲み水を手に入れる方法②／断水で水洗トイレが使えない !? ／簡易トイレのつくり方／断水だ！　お風呂に入れない !! ／からだを清潔に保つ方法／停電だ！　どうすればいい !? ／手回し発電の仕組み／太陽を味方に電気をつくろう !! ／身近で意外なソーラーパネル／太陽光発電の仕組み／太陽を味方にお湯をつくろう !! ／太陽の力でお湯をつくる方法／新聞紙は万能選手 !? ／新聞紙はこんなことにも使える !! ／ほかにもある身近な万能選手たち／身近な道具の活用術 !! ／天気を読む"観天望気"／観天望気あれこれ

防災キーワード 宇宙技術と防災…158

FILE.1

防災の第一歩は、まず知ること!!

あ、学校で地震だ!!

あー、
めんどくせー。

しょうがない
じゃない、
掃除当番なんだから。

1-1

さ、早く
終わらせま
しょ。

ええ。

うわっ、
地震だ!

グラ
グラッ

早く
机の下へ!

う、うん。

グラ グラ

1-2

SCIENCE CONAN ● 防災の不思議

地震で建物が揺れると上から照明器具が落ちてきたり、横からテレビなどが倒れてきたりすることがある。ケガをすると、その後に避難することが難しくなるよ。だから、教室での授業中に地震が起こったら、まず机の下に隠れ、脚の部分をしっかりつかんで机が倒れないようにして、身の安全を守ろう。慌てて校庭に飛び出そうとすると、階段で転ぶかもしれないし、割れた窓ガラスの破片などが落ちてくることもあるから危険だよ！！

地震の揺れが収まったら……

地震による大きな揺れは、たいてい1分くらいで収まる。机の下に身を隠しているうちに揺れが収まったら、避難を開始する前に、頭を守るため、まず防災頭巾をかぶろう。

防災頭巾をかぶったら、みんなで勝手に避難するのではなく、先生や校内放送の指示をよく聞いて避難を開始する。前を歩く人が遅いからといって、押したりするのは絶対ダメだよ。

教室の中には危険がいっぱい!!

実際に地震が起こると、自分の机の下にほかの人が入ってしまうこともあるようです。そんな場合や、教室以外の場所で地震に遭った場合のことなどを、防災訓練の時に話し合った方がよさそうですね。

地震のせいで火事が起こった場合は、火事の発生場所や風向きによって、避難経路や避難場所が防災訓練の時とは変わる場合があるの。だから、先生や校内放送の指示をよく聞くことが大切なのよ。

地震はどうして起こるの？

それにしても、さっきはびっくりしたなー。

さっきの地震は震度4くらいだったんじゃないかな。

震度ってなーに？

震度	揺れの感じ方など
0	揺れを感じない地震。
1	屋内で静かにしていると、かすかに揺れを感じる人もいる。
2	屋内で静かにしている人の大半が揺れを感じる。
3	屋内にいる人のほぼ全員が揺れを感じる。
4	電灯など、吊り下げられているものが大きく揺れる。
5弱	棚の食器や本が落ちたり、固定されていない家具が動くことがある。
5強	ものにつかまらないと歩けない。ブロック塀が崩れることもある。
6弱	立っていられない。窓ガラスが割れたり、屋根瓦が落下したりする。
6強	はわないと動けない。固定されていない家具のほとんどが倒れたりする。
7	鉄筋コンクリートの建物でも倒れたりする。

『震度』は地震による揺れの強さで、震度0から震度7までの10段階で表されるんだ（※）。

2-1

東京都を中心とする首都圏では今後30年以内にM7.0、最大の震度でいうと6強くらいの大地震が起こると予測されているよ。

だから、さっきみたいに慌てないように……。

うん。しっかり準備しておかなきゃな。

※「震度」は日本独自の基準です。地震のエネルギーの大きさは、世界的には「マグニチュード（M）」という単位で表します。

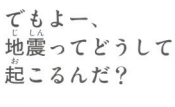

でもよー、
地震ってどうして
起こるんだ？

おれの父ちゃんは、地下にいる
巨大ナマズが暴れるせいだって
言うんだけど……。

ハハハ、
さすがにナマズの
せいってことは
ないなー。

じゃあ、
地震の原因って
何なんだ？

それなら、
ここで地震の
クイズを出題
してみよう！

よくある地震の
原因は、次の3つのうち
どれが正解だと思う？

2-2

SCIENCE CONAN ● 防災の不思議

①火山の噴火

ゴゴゴ

②地下の岩盤の移動

ズズズ

③隕石の落下による衝撃

ドカァン

クイズの正解は、『②地下の岩盤の移動』だよ!!

地球の表面は、『地殻』と呼ばれる十数枚の硬い岩盤（プレート）に覆われている。

まるでジグソーパズルのように組み合わさったプレートは、少しずつゆっくりと動いているので、プレート同士が重なり合う場所にひずみが生じるよ。

やがて、そのひずみに耐えきれなくなったプレートが跳ね上がったり、ひび割れたりすると、それが地震の『揺れ』となって地表に伝わるんだ。

海溝型地震と直下型地震

日本の周辺では、海のプレートが陸のプレートの方へ、1年あたり数センチの速度で移動している。それによって沈み込んだ陸のプレートが、跳ね上がって起こるのが「海溝型地震」だ。

一方、ひずみに耐えられPなくなったプレートそのものPが、ひび割れて起こる地震もある。特に、陸のプレートの浅い所で発生した地震を「直下型地震」と呼ぶよ。

2種類の地震の仕組み

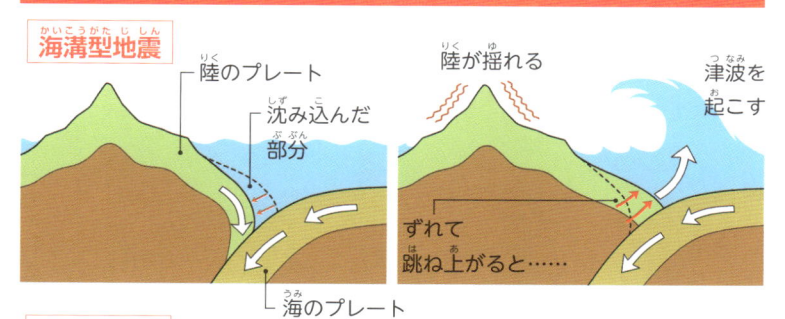

海溝型地震

陸のプレート

沈み込んだ部分

海のプレート

陸が揺れる

津波を起こす

ずれて跳ね上がると……

直下型地震

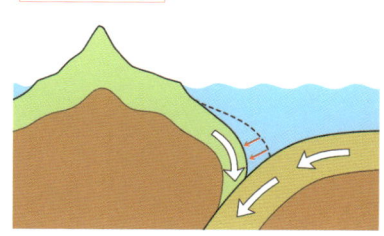

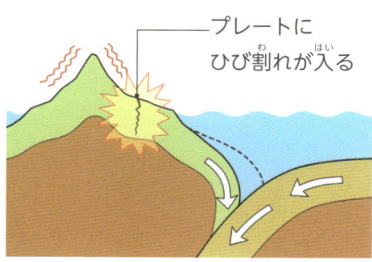

プレートにひび割れが入る

ふーん、なるほどなー。
海溝型地震は、直下型地震よりも揺れが小さいことが多いけれど、大きな津波を起こす可能性があるのか……。

直下型地震は地面のすぐ下で起こるから、揺れが大きいのですね。今後30年以内に首都圏で起こると予測されているのも直下型地震だそうですから、しっかり準備しておかなければなりませんね。

地震はこうして起こる!!②

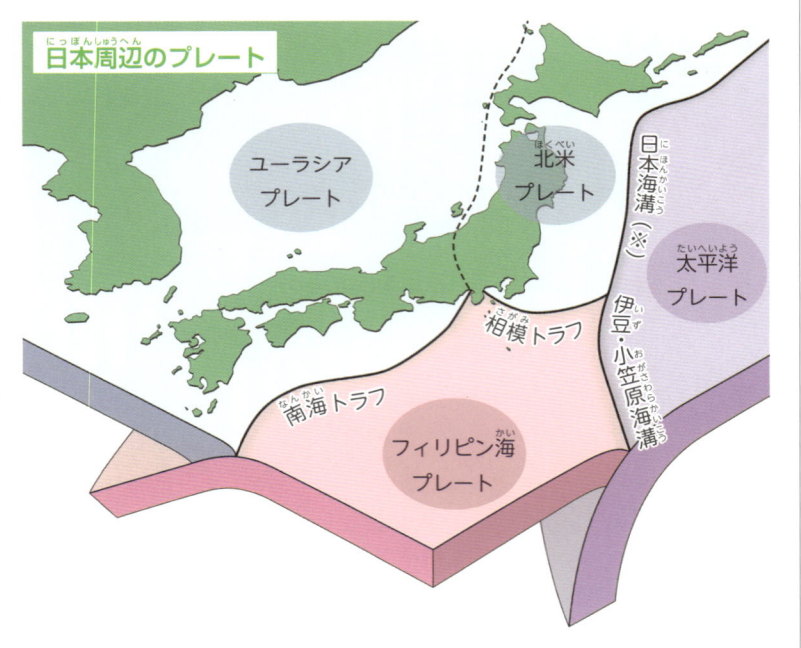

日本周辺のプレート

ユーラシア
プレート

北米
プレート

日本海溝（※）

太平洋
プレート

伊豆・小笠原海溝

相模トラフ

南海トラフ

フィリピン海
プレート

上の図のように、日本の周辺では複数の
プレートによって複雑な力がはたらいて
いる。このため、日本は世界有数の
地震多発地帯となっているんだ。
2011年3月11日の東日本大震災は、
太平洋プレートの移動によって沈み込んで
いた北米プレートが、跳ね上がったこと
から起こった「海溝型地震」だったよ。

※海溝……海底が細長い溝状に深くなっている場所。海のプレートが、ほかのプレートの
下に沈み込む境界線とされている。

断層 〜直下型地震の痕跡〜

野島断層保存館
兵庫県淡路市小倉177（北淡震災記念公園内）
www.nojima-danso.co.jp/nojima.html

天然記念物 1995年1月17日に発生した阪神・淡路大震災の震源の一つとなった断層が保存展示されている。

過去の直下型地震でできた地層のずれ（断層）は、プレートの移動によって力が加わると、再びずれて震源となることがある。このような断層を特に『活断層』と呼ぶよ。国土地理院のホームページで、日本の活断層の分布図を見ることができるよ（※）。

海岸などに行って、地層が見える崖を観察すると、こんな感じに地層がずれている『断層』を見つけられることがあるそうですよ。

※国土地理院「活断層とは何か？」
www.gsi.go.jp/bousaichiri/explanation.html

SCIENCE CONAN ● 防災の不思議

自分の部屋を防災点検しよう‼

おれたち小学生が
地震に遭う確率が
一番高いのは、
どこにいる時だと思う？

やっぱり、
学校にいる時
かしら？

睡眠時間は人によって
ちがうけど……

いえ……
家にいる時間が
一番長いと思います。

例えば
夜の９時から
朝の７時まで、
10時間寝たと
すると……。

1日＝24時間

一日の半分近くを
家の寝室で
過ごしている
わけですね！

だから、
自分の部屋の中を
地震に備えるという
視点から見直すことは、
とても大切なんだ。

3-1

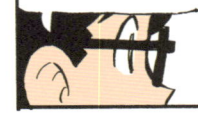

これから、
その悪い例を
見てみよう。

何だ、
阿笠博士の家
じゃねーか。

一ってことで
博士の寝室、
見せてもらうぜ。

こ、こら、
待て、コナン！

解明！ 地震に "強い" 部屋をつくろう!!

まず何よりも、部屋が散らかっていると、夜中に地震が起こって飛び起きた時などに、つまずいて転んだりしてしまうよ。ふだんから整理整頓を心がけよう。地震によるケガの半数近くは、家具などの転倒、落下、移動が原因なんだ。だから、なるべく部屋にものを置かないようにして、下敷きにならないよう家具の配置を工夫する必要がある。その上で、下のような器具を使って、家具の転倒を防ぐようにしよう。

家具の転倒などを防ぐ器具のあれこれ

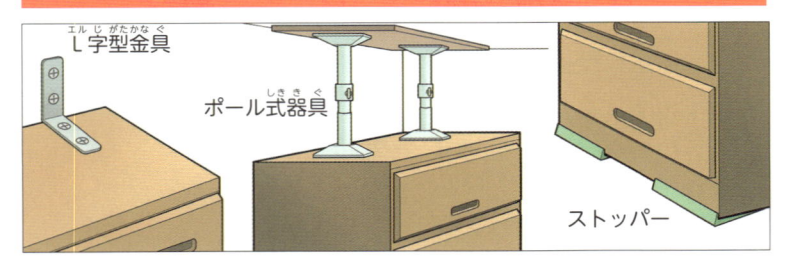

L字型金具

ポール式器具

ストッパー

地震に備えた対策のポイント

地震で揺れた時、頭の上に落ちてきそうな壁掛け時計は外し、照明器具はチェーンで補強したぞ。そして窓には、割れたガラスが飛び散るのを防ぐフィルムを貼ったんじゃ。

部屋の床を片づけ、棚の上には重いものをのせないようにしたよ。そして、棚は倒れないように金具で補強し、ベッドやテレビ、テレビ台は粘着マットなどで移動しないようにしてあるんだ。

SCIENCE CONAN ● 防災の不思議

さっきは
みっともない部屋を
見られてしまった
のお。

おれの部屋だって、
もっとマシだぜ。

地震に備えて
あれこれしなければと
思っていても、なかなか
手をつけられなくてのお。

結婚すれば、少しは
ちゃんとするかもなー。

ムッ

余計な
お世話じゃ。

4-1

ところで
……

カチャ

みんなは地震や防災について知りたいのじゃな？

それならば一つ、わしがクイズを出してやろう。

クイズ？

もし今ここで地震が起こったら、次のうち真っ先にすべきことはどれじゃと思う？

①火を消す

②テーブルの下などに隠れる

③ドアを開け、逃げ道を確保する

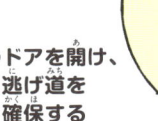

4-2

うちのお母さんは火事にならないように、まず火を消しなさいって言ってたわ。

でも、地震で家が傾いたらドアが開かなくなって、逃げられなくなってしまいますよ。

次のページを読む前に、みんなも考えてみるのじゃぞ。

まずはやっぱりテーブルの下へ!!

クイズの正解は、『②テーブルの下などに隠れる』じゃ!!
学校と同じように、自宅でも地震が起こったら、まず身の安全を確保するのが最優先じゃ。大きな家具や窓から離れ、座布団などで頭部を守りながらテーブルの下に隠れるのじゃぞ。目の前で火を扱っている場合は、すぐに火を消すべきじゃが、鍋がひっくり返ったりしてヤケドをする場合があるので、揺れが収まってから消すのが無難じゃ。その次に、ドアを開けて出口を確保するのじゃよ。

緊急地震速報を利用しよう!!

地震による強い揺れを事前に知らせるため、気象庁が配信しているのが「緊急地震速報」だ。テレビやラジオで放送されるほか、スマートフォンでも受信できるので、受信方法を確認し、設定しておこう。

速報が出てから強い揺れが来るまで、十数秒から数十秒。その短い時間を有効に使って、可能であればガスの火を消したり、出口を確保したりしよう。

トイレや風呂で地震に遭ったら……

トイレ

揺れを感じたら、閉じ込められないようにドアを開けておく。

風呂

洗面器などで頭を守り、すぐに浴室を出て安全な場所に避難する。

家の2階

建物の1階がつぶれてしまうことがあるので、慌てておりない。

もしも閉じ込められたら

トントン

大声を出すと体力を消耗するので、硬いもので家具や壁をたたく。

地震の揺れが収まってから行動する際は、割れたガラスの破片などを踏んでケガをしないよう、底の厚いスリッパなどをはこう。

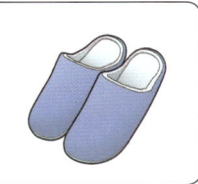

揺れが収まったら、テレビやラジオで地震の大きさや地域の被害状況を確認し、そのうえで自宅から避難するかどうかを決めるのじゃ。次は、自宅からの避難手順を紹介するぞ!!

SCIENCE CONAN ● 防災の不思議

避難する時の注意点

①ブレーカーを落とす

②ガスの元栓を閉める

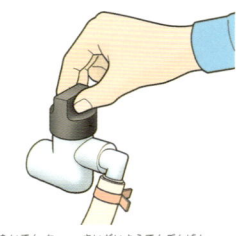

③避難先などを書いたメモを残す

④携帯電話の災害用伝言板（※）
　などを利用する

地震による停電が復旧した際に通電火災★が
起こらないよう、自宅から避難する時は
必ず電気のブレーカーを落とすのじゃ。また、
ガス漏れによる火事などを防ぐため、元栓を
閉めるのも忘れずにな。メモには自分や家族
の安否も書いて、玄関に貼っておくとよいぞ。
災害用伝言板は、携帯電話会社のホーム
ページで使い方を調べるのじゃ。

　※災害用伝言板……携帯電話会社が提供する、文字を使った安否情報確認サービス。

地震の時にやってはいけない行動

ライターなどの
火をつける

エレベーターを使う

絶対
ダメ!!

はだしで歩く

電気のスイッチ
を操作する

外に飛び出す

地震による停電で暗くなった時に、ライターなどの
火をつけると、ひび割れたガス管から漏れたガスに
引火して爆発することがあり危険だよ。同じように、
火花で引火することがあるので、地震の時には
電気のスイッチを操作することも絶対にやめよう。

マンションに住んでいる人は、エレベーターを
使うと閉じ込められる危険があるので、必ず
階段を使って避難すべし。もしエレベーターの
中で地震に遭ったら、全部の階のボタンを押し、
最初に止まった最寄りの階で降りるのじゃ。

★通電火災について詳しくは、28～29ページのまんがを読んでね!!

SCIENCE CONAN ● 防災の不思議

地震と火事

先ほども言った通り、

地震が発生した時は火事になる危険があるので、十分に気をつけなければならん。

何しろ、1995年に兵庫県南部で発生した阪神・淡路大震災（最大震度7）では、およそ6500名もの人たちが亡くなったのじゃが、その死因の約10％は火事だったそうじゃ。

さらに、阪神・淡路大震災発生後の10日間に175件の火災が起こったそうじゃが、

原因が分かっている81件の火災のうち、半数以上となる44件が通電火災だったそうじゃ。

ツーデンカサイ!?

28

地震で停電した場合、電力会社の復旧作業が済むと送電が再開され、再び電気が使えるようになる。これを『通電』と呼ぶんだけど……

通電すると、コンセントを差したまま倒れている電気ストーブなどが火元となり、火事になってしまうことがあるんだ。

だから避難する時は必ずブレーカーを落とさなければならないのね。

地震に限らず、住宅の火災で亡くなる人は、毎年のように1000人以上もおる。だから、火事には十分注意しなければならんのじゃぞ。

注意しろったって、火を消すには水をかければいいんだろ？

あと、消火器とか……。

5-2

二人とも、消すことを考える前にまず、火はなぜ燃えるのかを考えてみてごらん。

火を燃やすには、紙とか小枝とかの燃料が必要だろ？

あと……火が燃えるには、空気が必要だったと思います。

いい線いっとるが、火が燃えるにはあと一つ必要な条件がある。それが何か、みんなも考えてみるのじゃ!!

解明！ 火が燃える仕組みと消火法

元太や光彦が言っていた通り、火が燃えるには、まず燃料となる可燃物と、空気に含まれる酸素が必要じゃ。

そしてもう一つ、ものが燃えはじめるには、高い温度になることが必要なのじゃ。ちなみに、紙は約500℃で燃えはじめるぞ。

この3つを合わせて『燃焼の3要素』と呼んでおる。逆に、この3要素のうち、どれか一つをとり除いてやれば、火を消すことができるのじゃ。

住宅火災の出火原因（※）

住宅火災の出火原因1位は、コンロからの出火。調理中に目を離すと、油に火がついて危険だ。3位の放火を防ぐには、屋外に古新聞や古雑誌など、燃えやすいものを出しておかないことが大切だ。

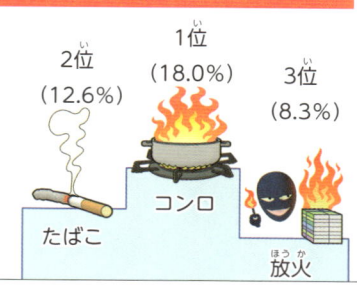

2位
(12.6%)
たばこ

1位
(18.0%)
コンロ

3位
(8.3%)
放火

※出典：総務省『平成26年（1月〜12月）における火災の状況』

消火作業のやり方

①可燃物をとり除く

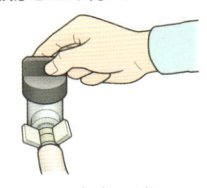

ガスコンロで火事が起こったら、可能ならばまず可燃物のガスを止め、コンロの火を消す。

②酸素をさえぎる

小さな火なら、厚手の布などで火を覆い隠すと酸素がさえぎられて火が消える。消火器から出る粉末や泡も、酸素をさえぎる役目をする。

③温度を下げる

バケツなどで水をかけると、温度が下がって火が消える。

火事を発見したら、まず大きな声で『火事だ!』とさけび、まわりの人に知らせよう。近くに非常ベルがあれば、ためらわずにボタンを押して鳴らすこと。スマートフォンを持っている人は、『119番』に通報しよう。そのあとは、無理して消火しようとせず、危険を感じたら、すぐに避難しよう。

119

火事の時は煙から逃げろ!!

もっと知りたい!!

①ハンカチなどで口と鼻を覆う。

②できるだけ姿勢を低くする。

③煙で前が見えない時は、壁伝いに避難する。

火事では、炎によるヤケドに注意しなければならん。しかし、それ以上に注意しなければならんのが煙じゃ。火事によって発生する煙には有毒ガスが含まれておるため、吸うと意識を失ったり、命を落とすこともあるのじゃ。煙は上の方へ行くから、火事から避難する時は姿勢を低くして、煙を吸わないようにするのじゃぞ。

津波はどうして起こるの？

地震で怖いのは、やはり何といっても津波じゃな。

2011年3月11日に発生した東日本大震災では、2万2000人を超す人たちが命を失ったり、行方不明になったりしたんだけど……

震災で亡くなった人たちの大半は、津波に巻き込まれたことが原因だったそうだよ。

波高（波の高さ）

10m以上

東日本大震災では、場所によっては波高10m以上、最大遡上高40.1mにもなる巨大な津波が発生したのじゃ。

最大遡上高

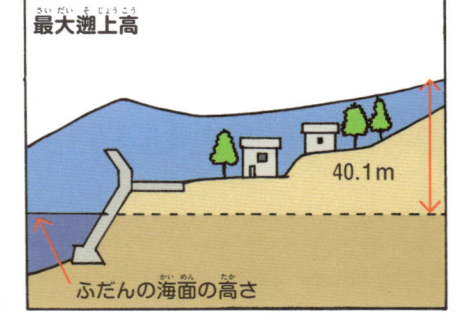

40.1m

ふだんの海面の高さ

でも……

波の高さが10mって言われても、何かピンとこないわ。

ぼくも……。

10mくらいの波なら、何だか泳げそうな気がするんだよなー。

ふむ……それならちょっと近所まで散歩しようかの。

ほれ、あの3階建てマンションの屋上くらいが10mの高さじゃよ。

6-2

SCIENCE CONAN ● 防災の不思議

しゃがんだ姿勢で見上げると、水面から波を見た感じが分かるぞ。

うわっ、たっけー。

さっき、海溝型地震が津波を引き起こすって説明してくれたけど……。

うむ。もっと詳しく、津波が起こる仕組みを説明しておこうかの。

解明！ 津波はこうして起こる!!

海溝型地震では、跳ね上がったプレートによって海水が押し上げられ、津波が発生する。例えば、水深5000mの海で高さ1mの津波が発生すると、ジェット飛行機と同じ速度で波が進むよ。ところが、波の速度は水深が浅くなるほど遅くなるため、陸地に近づくほど、うしろからの波が次つぎに追いついてしまう。こうして波が高くなってしまうんだ。

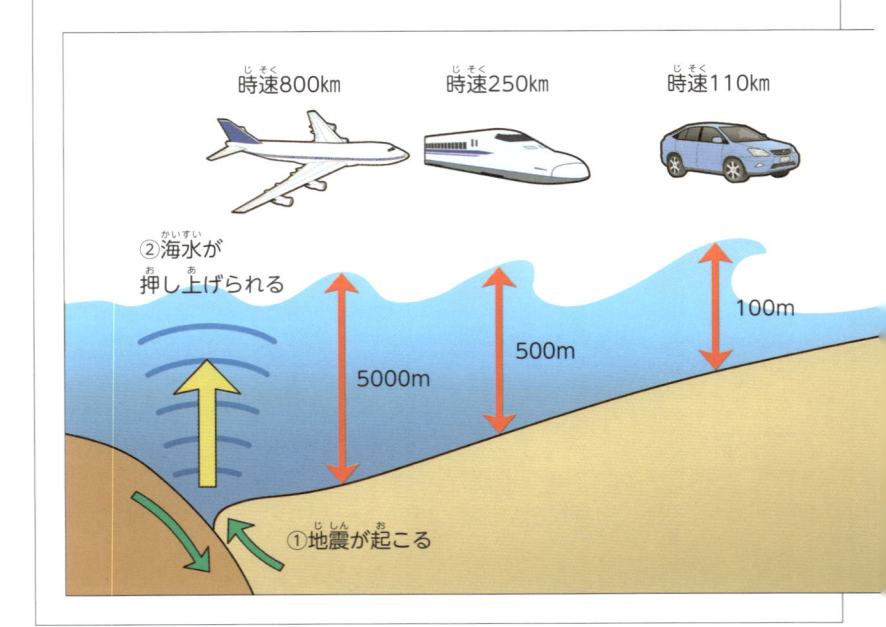

時速800km　時速250km　時速110km

②海水が押し上げられる

100m

500m

5000m

①地震が起こる

高波と津波のちがい

台風などで強い風が吹くと、海岸線には高波が押し寄せる。しかし、高波は海面近くの水が動くだけだ。一方の津波は、海底から海面までの水が巨大なかたまりとなって海岸線に押し寄せてくる。このため、被害の大きくなることが多いんだ。

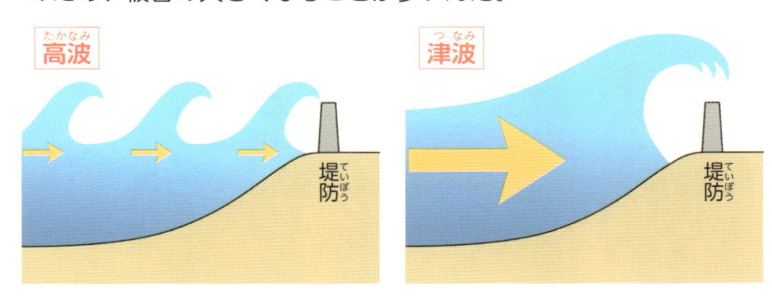

時速36km

10m

③陸地に近づくほど速度が遅くなり、うしろから来る波が追いつくため、波がどんどん高くなる。

もっと知りたい!! 津波から避難する時の鉄則

海の近くにいる時に地震が発生した場合、早ければ数分で海岸に津波がやって来る。このような場合は避難指示を待たず、すぐに高い場所を目指そう!!

- ●津波は速く、高く、何度もやって来る!!
- ●命を守るためには、素早く避難!!

津波の速度は、海岸近くで時速36km。津波が来るのが見えてからでは逃げ切れない。

津波は川もさかのぼる

津波は、河口から上流に向かって川をさかのぼってくる。川の近くにいた場合、上流方向に逃げても津波が追いかけてくるので、川の流れに対して直角方向に避難する。

驚くべき津波の破壊力!!

津波の高さ	
2m	木造の家が完全にこわれる。
1m	木造の家が一部こわれる。
50cm	おとなでも歩けなくなる。

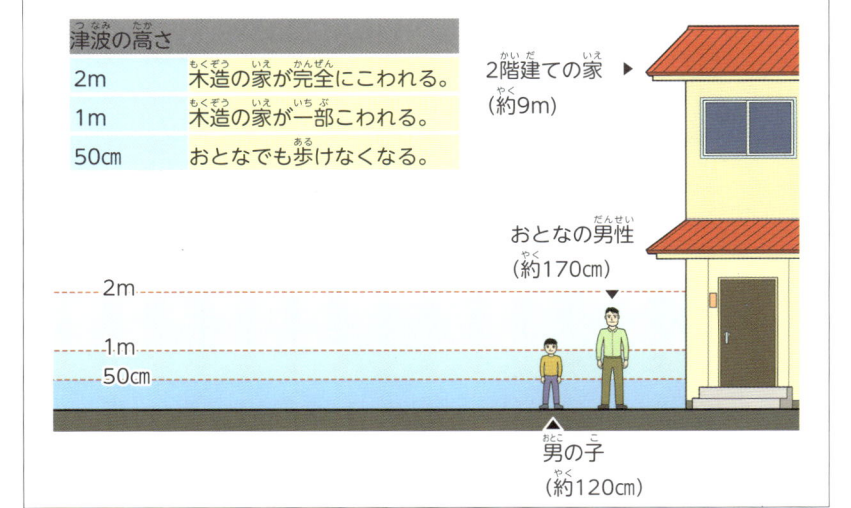

2階建ての家 ▶
（約9m）

おとなの男性
（約170cm）

2m
1m
50cm

男の子
（約120cm）

台風はどうして起こるの？

てんびん、やぎ、くじら、コップ、コンパス……

これらが何の名前か分かるかの？

？？？

実はすべて日本が命名した台風の名前なんじゃ。

日本が命名した台風の名前

てんびん、やぎ、うさぎ、かじき、かんむり、くじら、コップ、コンパス、とかげ、はと

7-1

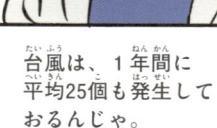

台風は、1年間に平均25個も発生しておるんじゃ。

日本人にとっては、地震以上に身近な災害といえるかもしれないね。

確かに……。

台風の正体は
熱帯低気圧という
もので……

海水の温度が26℃以上の
熱帯の海で、水蒸気を含む
暖かい空気が上空にのぼる
ことで発生するのじゃ。

えーっ、
台風は風神と雷神の
せいじゃないのか？

バカね、元太くん。
台風には目があるの
だから……

SCIENCE CONAN ● 防災の不思議

きっと、こんな
一つ目の巨人が
風を起こしている
のよ。

ブオー

ねえ博士、
正しいのは
どっち？

# 解明！台風はこうして起こる!!

①太陽の強い日差しに暖められた赤道（※）近くの熱帯の海で、水蒸気がたくさん発生する。

②水蒸気が反時計回りに回りながら、上昇気流に乗って空高く上がっていく。

③小さな渦が、やがて大きな渦に発達し、上空で積乱雲（入道雲）ができる。

※赤道……北極と南極の中間にあたる地点を結ぶ線。赤道付近では気温が年中高く、上昇気流が生じやすい。

台風が発生する原因は、風神・雷神や一つ目入道のせいではないぞ。

左のページで説明したような、赤道近くで発生した積乱雲に、さらに水蒸気が集まると、大きな空気の渦の『熱帯低気圧』になるのじゃ。熱帯低気圧の渦がさらに大きくなり、風が強くなって、風速が毎秒17mを超えると『台風』になるのじゃよ。

台風の正体はこれだ!!

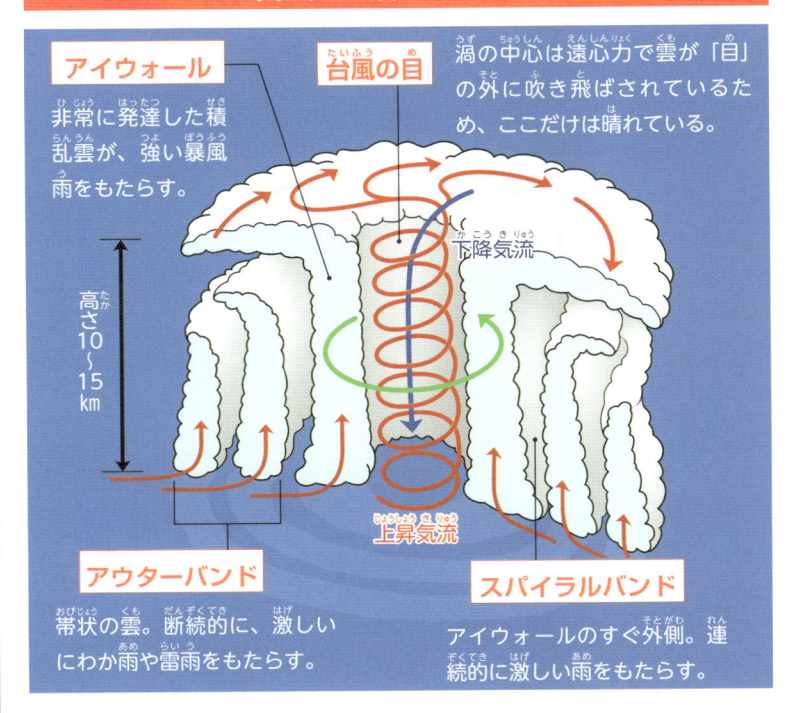

アイウォール

非常に発達した積乱雲が、強い暴風雨をもたらす。

台風の目

渦の中心は遠心力で雲が「目」の外に吹き飛ばされているため、ここだけは晴れている。

下降気流

高さ10〜15km

上昇気流

アウターバンド

帯状の雲。断続的に、激しいにわか雨や雷雨をもたらす。

スパイラルバンド

アイウォールのすぐ外側。連続的に激しい雨をもたらす。

台風に備えるための鉄則

台風は、夏から秋にかけて発生することが多い。台風の季節は、テレビなどの天気予報で情報を入手することを心がけよう。外出中に、注意報などが出たことに気づいたら、早く家へ帰り、外に出るのは控えよう。

● 外出時に台風や大雨が近づいてきたら、すぐに家へ帰る。
● 外は危険なので、家から出ない。

気象庁が発表する「注意報」などのちがい

● 注意報……大雨や強風などによって災害が起こる恐れがある時に、注意を呼びかける。
● 警報……重大な災害が起こる恐れがある時に、該当する地域での警戒を呼びかける。
● 特別警報……警報の発表基準をはるかに超え、数十年に一度の重大な災害の危険性が高まっていることを知らせる。

台風に備えて、家の中ですべきこと

①テレビやラジオなどで最新の気象情報を確認する。

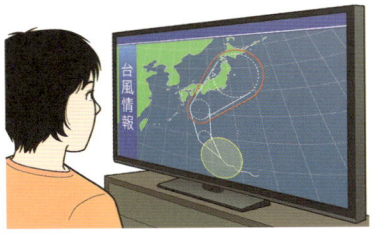

②非常用持ち出し袋（※）を用意しておく。

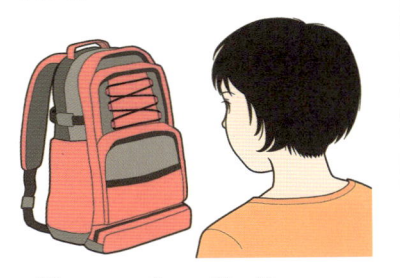

③ベランダの鉢植えなどを部屋の中に入れておく。

④窓ガラスが割れた時に備え、カーテンを閉める。

⑤停電に備え、冷蔵庫の設定温度を下げておく。

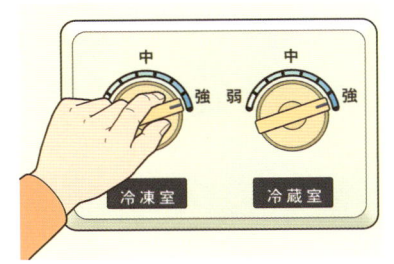

⑥水道水が汚染された時に備え、風呂に水を張っておく。

SCIENCE CONAN ● 防災の不思議

※非常用持ち出し袋について詳しくは、この本の94～95ページを読んでね!!

台風の影響などで大雨が降ると、海や川の水があふれたり、都市部では雨水を排水しきれなくなったりして、洪水が引き起こされることがある。危険な場所には近寄らず、避難する時の注意点を守ろう!!

台風や大雨の時に近づくと危険な場所

①海辺の堤防

②川の近く

③地下の空間

海では高波が堤防を越えることがある。また、海や川の堤防、ダムが決壊すると一気に大量の水があふれ、大きな被害をもたらす。

洪水が起こりそうな危険を感じたら、テレビの気象情報を調べたり、地域の役場や消防署などからの指示を聞いたりして、川などがあふれる前に、早めに避難を開始するのじゃぞ。もし逃げ遅れた場合は、自宅や近所の高い場所に避難して、救助を待つのじゃ。

洪水で避難する時の注意

水があふれた場合、歩ける水位の目安はひざ下まで。スニーカーなど、脱げにくい靴をはく。

車は水位10㎝でブレーキがききにくくなり、30㎝で浸水し、60㎝で流されてしまう。車線や下水溝の有無も分からなくなるため、遠くへ移動しようとせず、少しでも近くて高い場所へ向かう。

もっと知りたい!! 台風による災害② ～土砂崩れ～

台風などの大雨で地盤がゆるむと、土砂崩れなどの土砂災害が起こりやすくなる。さらに、大雨や長雨に地震の揺れが重なると、土砂災害の危険性が一気に高まるんだ。

土砂災害に備えてやっておくべきこと

住んでいる地域の自治体のホームページなどで、土砂崩れが起こる危険性のある場所を確認しておく。

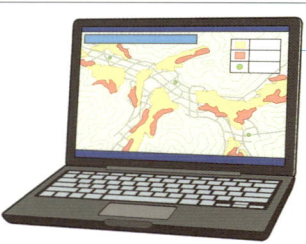

指定されている避難場所や災害時の連絡方法について、ふだんから家族と話し合っておく。

非常用持ち出し袋（※）をふだんから用意しておき、いつでも持ち出せるようにしておく。

※非常用持ち出し袋について詳しくは、この本の94～95ページを読んでね!!

土砂崩れが起こる危険を察知するには

崖崩れ

・崖にひび割れができている。
・崖から小石が落ちてくる。
・崖から水が湧き出てくる。
・地鳴りが聞こえる。

地滑り

・木が傾く。
・地面にひび割れや陥没、亀裂などが生じている。
・崖や斜面から水が噴き出す。
・地鳴りが聞こえる。

土石流

・地鳴りが聞こえる。
・川の水がにごる。
・くさったような土のにおいがする。
・木が裂ける音や、石がぶつかり合う音が聞こえる。

竜巻と台風って何がちがうの？

地震や台風とともに、日本で多い自然災害の一つが……

竜巻じゃっ!!

へーっ!!

日本の陸地では、年間25個くらい竜巻が発生しておるそうじゃ。

竜巻は日本のどこででも、季節を問わずに発生する自然現象だ。

でも特に、台風シーズンの9月から10月に発生することが多いそうだよ。

竜巻は、積乱雲の下にできる空気の渦じゃ。中心部では猛烈な風が吹き、建物のがれきなどを巻き上げる。それらの飛来物が、さらに大きな被害をもたらすのじゃ。

積乱雲に空気の渦……

さっきの話では、台風も積乱雲によってできた空気の渦だったはずですが……。

そういえばそうね。

8-2

ねえ博士。

竜巻と台風って何がちがうんですか？

解明！ 竜巻と台風はここがちがう!!

台風が発生するのは、赤道に近い熱帯の海じゃが、竜巻は日本全国どこでも発生する可能性があるのじゃよ。そして、台風は積乱雲が大型化したものじゃが、竜巻は積乱雲から発生する空気の渦なのじゃ。

竜巻が発生する仕組み

①上昇気流によって積乱雲が発生する。

②積乱雲の下で、気流が渦を巻きながら上昇する。

③上昇気流の渦が細くなり、回転スピードが上がって竜巻になる。

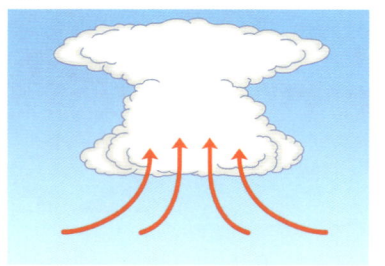

竜巻は台風より渦が細く、移動距離も短い。しかし渦が細いため、竜巻の風は台風よりもずっと強く、またたく間に地上のあらゆるものを空に巻き上げてしまう。

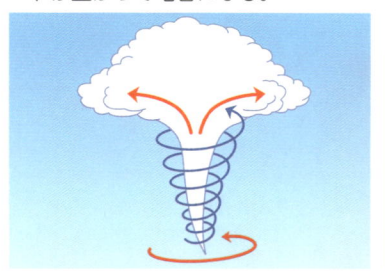

竜巻が起こる前触れ

竜巻は、いつ、どこで発生するか、予測するのが難しい。でも、竜巻が起こる直前に、こんな異変が見られることがある。

①雲の底から、ろうと状の雲が地面に向かってのびる。

②ゴミや木の葉が筒状に舞い上がり、ゴーッという音が聞こえる。

竜巻からの避難方法

屋外

竜巻が見えたら、到達するまで数分から数秒しかない。すぐにビルなどのじょうぶな建物（できれば地下）に逃げる（※）。

家の中

窓や玄関のカギをかけ、1階の中心寄りの窓が少ない部屋に避難する。窓がないトイレや浴室も避難場所に適している。

※近くにビルなどがない場合は、物陰やくぼみに隠れます。

台風の仲間と竜巻の種類

台風の仲間には、ハリケーンとサイクロンがある。台風を含め、その正体はどれも、熱帯の海で発生した大型の熱帯低気圧だ。けれど、発生した場所のちがいによって、呼び方を変えているんだよ。

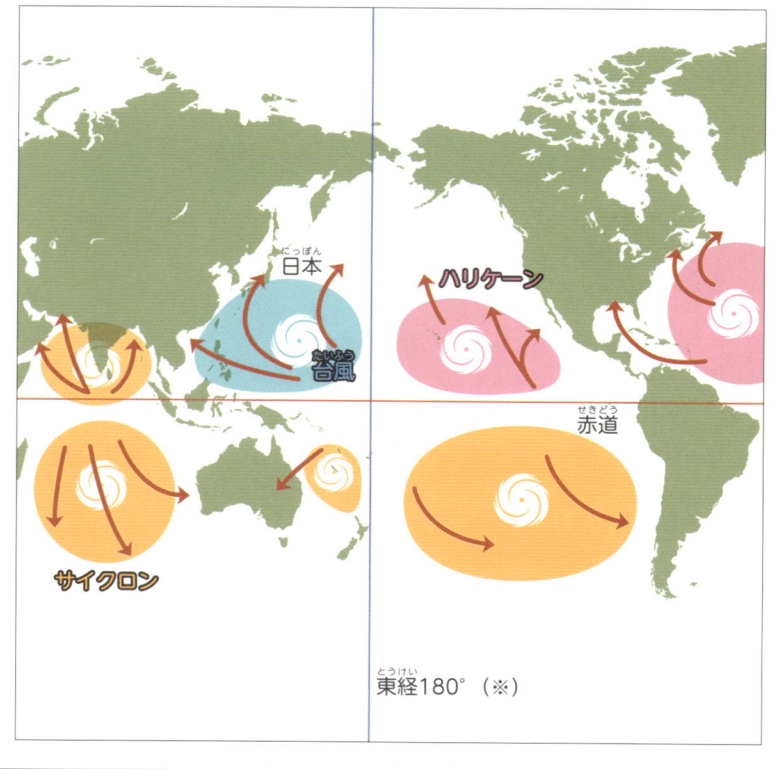

日本

台風

ハリケーン

赤道

サイクロン

東経180°（※）

※東経180°……イギリスのグリニッジ天文台跡付近を通る経度0°の本初子午線を基準として、東に180°進んだ経度のこと。

左ページのマップの通り、赤道よりも北で、東経180°よりも西の太平洋や南シナ海で発生した大型の熱帯低気圧を『台風』と呼ぶのじゃ。それと、竜巻も次のような3つの種類があるのじゃよ。

陸上竜巻（トルネード）

積乱雲からのびるろうと状の雲が、地上に接している竜巻。強い渦があらゆるものを巻き上げ、大きな被害をもたらす。

空中竜巻（ファネル・アロフト）

ろうと状の雲が、地上に届かない竜巻。

水上竜巻（ウォーター・スパウト）

ろうと状の雲が、海などの水面に垂れ下がった竜巻。

SCIENCE CONAN ● 防災の不思議

もしも雷が鳴りはじめたら…

災害にはいろいろな種類があることは分かったけれど……

私はやっぱり雷が苦手だわ。

なー博士、雷はなぜ起こるんだ？

雷もまた、積乱雲によって発生するんじゃ。

9-1

積乱雲の中では、激しい気流によって小さな氷の粒がぶつかり合った結果、静電気が発生し、氷の粒がプラスとマイナスの電気を帯びるようになるのじゃ。

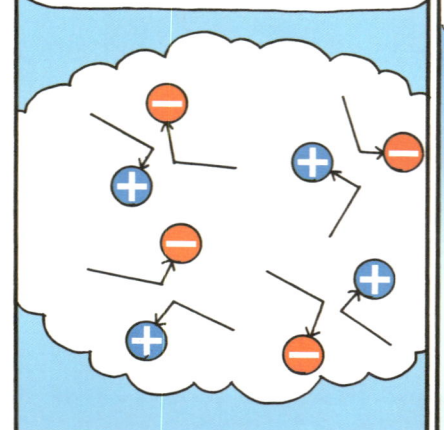

積乱雲の中で、プラスの電気は上へ、マイナスは下の方にたまる。そして雲の中に静電気を蓄えきれなくなると、地上のプラスの静電気とのあいだにマイナスの電気が放電される。これが雷の正体じゃ。

9-2

解明！雷が鳴りはじめた時の鉄則

公園などの開けた場所で雷鳴が聞こえたら、鉄筋コンクリートの建物や車、電車の中など、安全な場所に速やかに避難しよう。公園の東屋など壁がない建物は、落雷すると感電する恐れがあるので、近づかないようにね。

- ●雷鳴が聞こえたら、速やかに安全な場所に避難する。
- ●樹木などの高いものには、絶対に近づかない。

雷から避難するのに適した場所

ゴロゴロゴロ

鉄筋コンクリートの建物の中

バスや電車などの中

雷から避難するのに適さない場所

木の下

雷は高いものや突き出たものに落ちやすい。木の下にいると、木への落雷が人にも伝わり、感電する。

軒下

建物の中に入っていないと、落雷によって感電する。

壁のない建物

屋根の下にいても、落雷すると感電する。

このほか、釣りざおやテニスラケットを持っていたら手放そう。

安全な場所がない場合

電信柱や木などの高いものから4m以上離れ、うずくまって低い姿勢をとる。

4m

家にいる場合

落雷によってこわれないよう、テレビやパソコンのコンセントプラグを抜き、窓からは離れる。

実験！ # 雷の放電実験に挑戦!!

必ず
おとなの人
とやろう!!

用意するもの

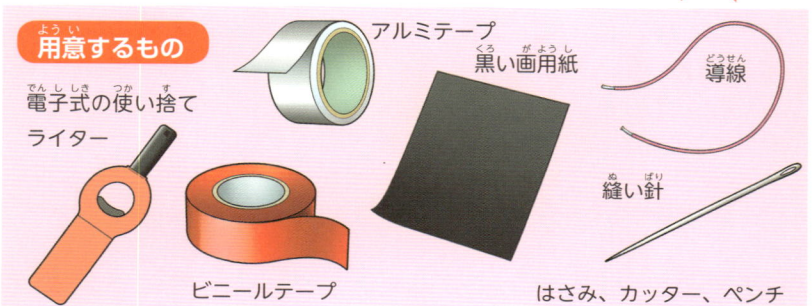

アルミテープ

黒い画用紙

導線

電子式の使い捨て
ライター

縫い針

ビニールテープ

はさみ、カッター、ペンチ

手順1

先端の金具をとり外してから、ライターを分解。圧電素子から出ている2本の導線のうち、長い方を引っ張り出してから、再び元のように組み立てる。

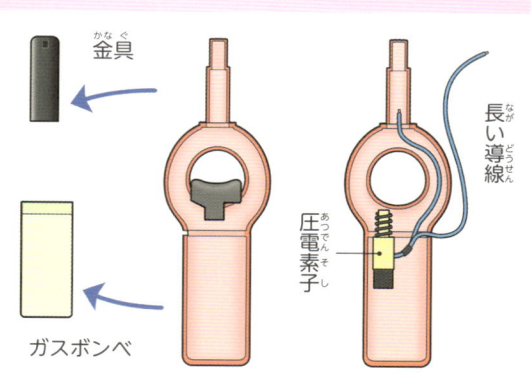

金具

長い導線

圧電素子

ガスボンベ

手順2

ライターの導線の皮膜をペンチを使って少しむき、用意した導線とねじり合わせる。つなげた導線のもう一方も、皮膜を長めにむいておく。

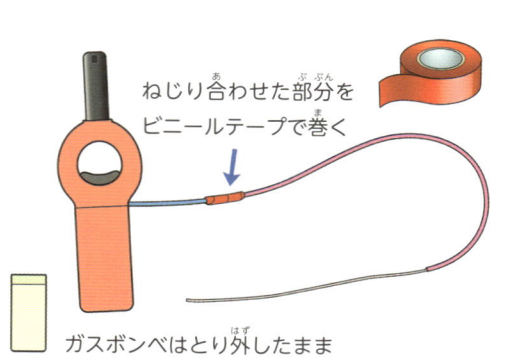

ねじり合わせた部分をビニールテープで巻く

ガスボンベはとり外したまま

手順3

画用紙をはがきサイズに切り、その上に切り抜いたアルミテープで町をつくる。地面には導線の端を横に置き、その上に1cm幅のアルミテープを貼る。

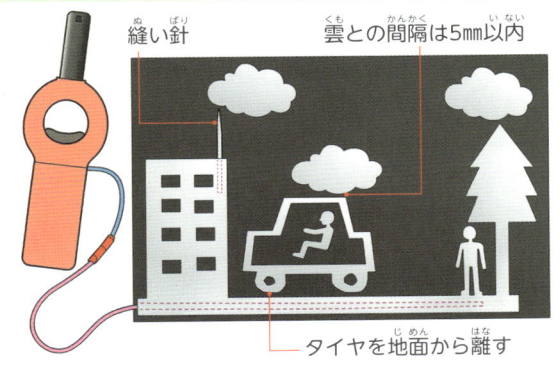

縫い針　雲との間隔は5mm以内

タイヤを地面から離す

手順4

縫い針の避雷針に近い雲に、ライターから火花を飛ばすと、雲から針に落雷する。また、木の上の雲に火花を飛ばすと、「雲→木→人」の順に落雷していく。

手順5

車の上の雲に火花を飛ばす。すると、雲から車に落雷しても、窓の中には雷が入っていかない様子を観察でき、車の中が安全であることを確認できる。

SCIENCE CONAN ● 防災の不思議

もしも大雪が降ったら…

台風、竜巻、雷は積乱雲と関係があり、夏から秋にかけて起こることが多い災害じゃが、

冬の代表的な災害は何か分かるかの？

ぼく、分かります！

冬の災害といえば大雪ですね。

雪といったら雪合戦に雪だるま……

10-1

えーっ、何でだよ！

スキー場でスキーもできるぞ。

でも、転んでケガをする危険性が高まるし……。

ステーン

電車やバスが止まってしまうと、みんな困りますね。

雪が積もった翌朝は、除雪された雪が道幅を狭めているうえ……

路面が凍って、車がスリップ事故を起こす危険性も高まるのじゃ。

SCIENCE CONAN ●防災の不思議

10-2

だから、大雪の翌朝に登校する時は、事故に遭わないよう十分に気をつけなければならんぞ。

そんなこと言われてもなあ……。

大雪が降ったら、おれたちどうすりゃいいんだよ⁉

大雪が降った時の対処法は、とにかく外出しないこと。家の中にいるのが一番じゃ。停電すると、エアコンやファンヒーターなどの暖房器具が使えなくなるので、毛布を用意しておくことも大切じゃ。

雪の日に滑りやすい場所

①日陰

②横断歩道など、道に塗料が塗ってある場所

③車のわだち

④床面がタイル張りの場所

雪の日の服装

雪が降りそうな日や、雪が降っている日に、どうしても外出しなければならない時は、下の図を参考に防寒対策をしっかりとろう。

毛糸などの帽子

マフラーや
ネックウォーマー

リュックなど
両手が空く鞄

長靴

薄手のシャツなどを重ね着する。
上着は中綿やダウンのジャケットで防水性が高いものを選ぶ。

手袋

白っぽい服は避け、赤や青など目立つ色を選ぼう!!

大雪のあとの晴れた日に注意!!

雪が降ったあとに晴れると、太陽の熱で積雪がゆるむ。すると、落雪やなだれが起こりやすくなるので、注意しよう。

屋根からの落雪

雪山でのなだれ

SCIENCE CONAN ● 防災の不思議

火山はどうして噴火するの？

みんな、日本は世界でも有数の火山国だということを知っておるかな？

火山!?

11-1

日本には活火山（※）が111もあり、世界の活火山の7％を占めておるんじゃ。

首都圏だと近年、有名な観光地・箱根山の火山活動が活発化して、避難指示が出されたことがニュースになったよね。

箱根山・芦ノ湖の遊覧船

※活火山について詳しくは、この本の72〜73ページを読んでね‼

私たちが住んでいる町の近くで火山が噴火したら、どうすればいいの？

火山活動が活発になり、危険な状態になると、地域の役場や消防署などから避難指示が出るぞ。

避難指示に従って行動すれば、大半の人が噴火前に危険区域から避難できるそうだよ。

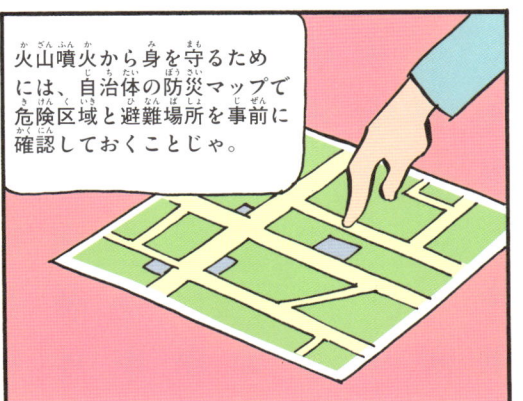

火山噴火から身を守るためには、自治体の防災マップで危険区域と避難場所を事前に確認しておくことじゃ。

避難場所は、実際にその場所まで行って確認しておくとよいぞ。

指定避難場所

11-2

あとは火山灰などの対策として、非常用持ち出し袋（※）にゴーグルと防じんマスクを追加しておくとよいのじゃ。

それにしても……。

火山はなぜ噴火するのかしら？

SCIENCE CONAN ● 防災の不思議

※非常用持ち出し袋について詳しくは、この本の94〜95ページを読んでね‼

海と陸のプレートが接した所で、岩がどろどろに溶けたマグマができるよ。温度が700℃から1200℃もあるマグマは、地表に向かって上昇し、マグマだまりをつくる。そこからさらに上昇すると、マグマの中に溶けていた水などが気体となり、泡立ちはじめるよ。その圧力が高まると、岩のもろい所がこわれ、そこからマグマが地表に噴き出すんだ。

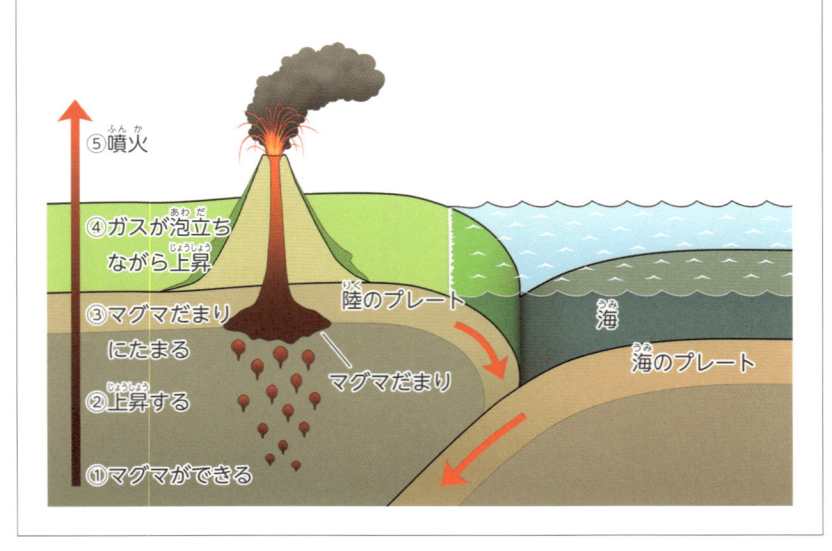

⑤噴火

④ガスが泡立ちながら上昇

③マグマだまりにたまる

②上昇する

①マグマができる

陸のプレート

マグマだまり

海

海のプレート

火山噴火にともなう、さまざまな災害

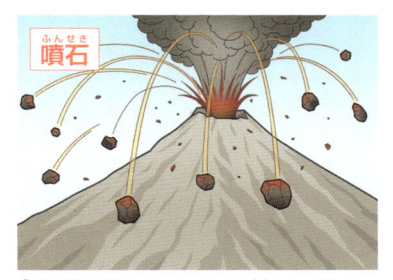

噴石

爆発的な噴火によって、大きな岩から小さな石までが飛んでくる。

火山灰

火山灰が積もると、交通がマヒしたり、農作物に被害が出る。

溶岩流

マグマが地表を流れる。速度は遅いことが多く、徒歩で避難できる。

火砕流

高温の火山灰や岩が流れ落ちてくる。速度が速く、逃げ切れない。

火山ガス

火山ガスには、人体に有害な成分が含まれていることが多い。

土石流

積もった火山灰や岩石に雨が降ると、土石流が発生しやすくなる。

火山がもたらしてくれる恵み

火山は噴火すると危険だけれど、それだけではない。
恐ろしい一方で、湧き水や火山性温泉など、さまざまな恵みを人間にもたらしてくれているよ。

湧き水

火山の表層は溶岩だ。溶岩はすき間が多く、雪融け水や雨水が染み込んで地下水になる。地下水は、山のふもとで、きれいなおいしい湧き水として地表に出てくる。

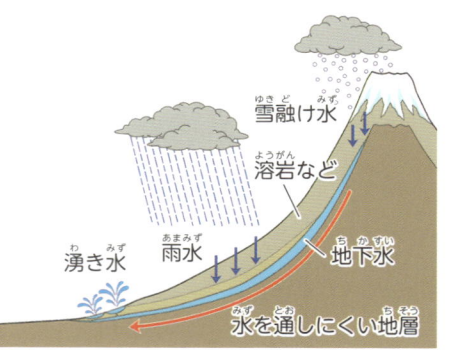

雪融け水

溶岩など

雨水

湧き水

地下水

水を通しにくい地層

火山湖

火山活動によって川がせき止められたり、地面が陥没した所（「カルデラ」と呼ぶ）に水がたまって、美しい火山湖ができる。

海

洞爺湖

北海道の洞爺湖は、代表的なカルデラ湖の一つ。

火山性温泉

マグマだまりから地中を伝わってきた熱によって、地下水が温められたのが「火山性温泉」だ。

温泉の熱を利用してつくる温泉玉子はおいしいよ！

地熱発電 風力発電では、風で風車（タービン）を回して電気をつくる。一方、火山の熱水や水蒸気でタービンを回すのが地熱発電だ。

大分県の「八丁原発電所」は、日本最大の地熱発電所だ。

SCIENCE CONAN ● 防災の不思議

71

日本のおもな活火山

日本には活火山が111ある。活火山とは、「おおむね過去1万年以内に噴火した火山、および現在も活発な噴気活動のある火山」のことだよ。このうち、火山活動が常に観測されている山は、浅間山など50山あるんだ。

ここで紹介するおもな活火山

ちなみに、近畿地方と四国地方には活火山がないのじゃ。

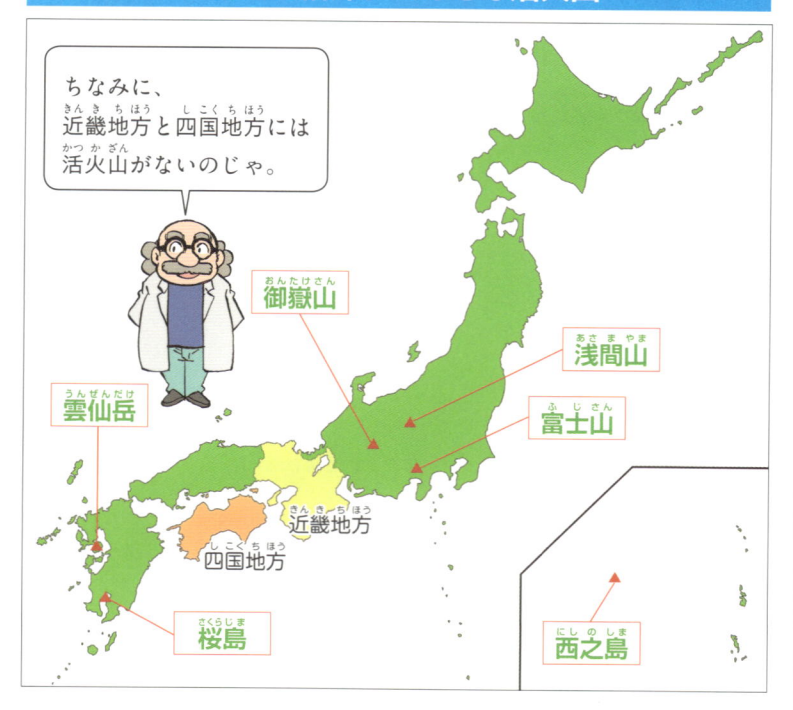

御嶽山

浅間山

雲仙岳

富士山

近畿地方

四国地方

桜島

西之島

富士山
（静岡県・山梨県）

日本の最高峰、かつ日本最大の活火山。最後に大噴火したのは、1707年の「宝永大噴火」で、江戸の市中に大量の火山灰が降った。

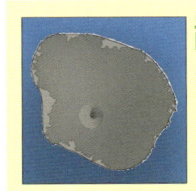

西之島
（東京都）

小笠原諸島の無人島。噴火により海底火山の山頂が島となった。2013〜2014年の噴火による溶岩で、島の面積が6倍に増えた。

浅間山
（群馬県・長野県）

数十万年前から何度も噴火をくり返し、現在の形になった。2015年にも小規模な噴火が確認され、現在も活発な火山活動が見られる。

御嶽山
（長野県・岐阜県）

2014年、これといった前兆が観測されないまま突然に噴火。登山者ら58名が命を失い、近年まれに見る火山災害となった。

雲仙岳
（長崎県）

1990〜1996年の火山活動（このうち1991年には大規模な火砕流も発生）により、標高1483mの「平成新山」が誕生した。

桜島
（鹿児島県）

かつては鹿児島湾に浮かぶ島だったが、1914年の噴火によって本土と陸続きに。近年も活発な火山活動が見られる。

SCIENCE CONAN ● 防災の不思議

異常気象が増えている!?

近ごろは異常気象が増えてきておるぞ。

気象庁では"過去30年の気候に対して著しい偏りを示した天候"を異常気象と呼んでいるよ。

・異常高温
・大雨
・日照不足
・冷夏　など

12-1

2010年以降、世界では熱波、寒波、集中豪雨や洪水など数多くの異常気象が観測されており……

日本でも、夏から秋にかけて猛暑の日が増えたり、異常少雨や大雨の年間回数が増える傾向にあるのじゃ。

異常なはずの気候が、当たり前になりつつあるわけですね。

何だか怖いわ。

異常気象が増えた原因の一つとして、地球温暖化の影響が考えられているよ。

【地球温暖化（※）】
二酸化炭素などの温室効果ガスによって、地球の大気や海水の温度が上昇し続ける現象。

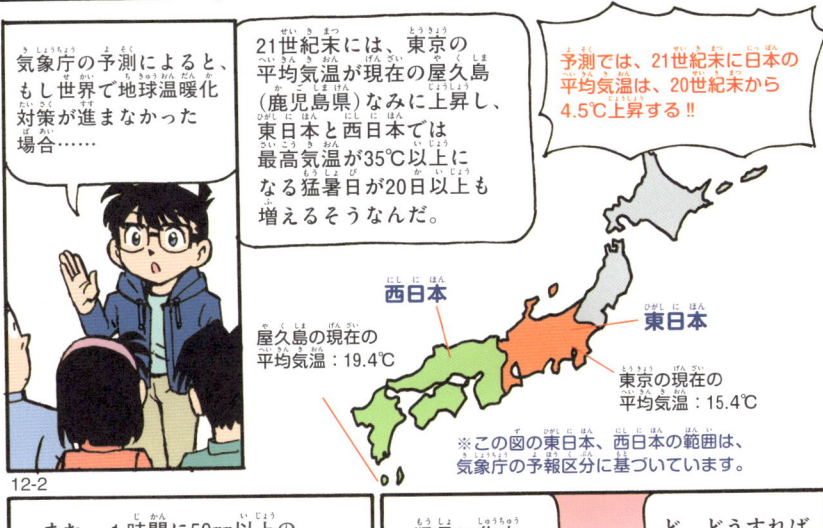

気象庁の予測によると、もし世界で地球温暖化対策が進まなかった場合……

21世紀末には、東京の平均気温が現在の屋久島（鹿児島県）なみに上昇し、東日本と西日本では最高気温が35℃以上になる猛暑日が20日以上も増えるそうなんだ。

予測では、21世紀末に日本の平均気温は、20世紀末から4.5℃上昇する!!

西日本

東日本

屋久島の現在の平均気温：19.4℃

東京の現在の平均気温：15.4℃

※この図の東日本、西日本の範囲は、気象庁の予報区分に基づいています。

12-2

また、1時間に50mm以上の非常に激しい雨が降る回数も、全国平均で2倍以上になるそうじゃ。

猛暑に集中豪雨……。

ど、どうすればいいんだ？

※『地球温暖化』について詳しくは、本シリーズ『元素の不思議』の36ページも読んでね!!

異常気象の中でも、猛暑と集中豪雨はすでに発生回数が増えてきておる。そこで、猛暑の時の熱中症対策や、集中豪雨への対処法などをみんなに伝授してしんぜよう!!

猛暑日には熱中症に注意!!

ヒトは汗をかいたりすることで、体温を36℃前後に保っている。しかし、気温が体温よりも高く、さらに湿度が高いと、汗が流れ落ちるだけで体温を下げることができず、熱中症にかかってしまう。

[熱中症の予防]

①帽子をかぶり、日差しを避ける。
②水分をこまめにとる。
③疲れてきたらムリをせず、日陰で休けいする。
④睡眠を十分とる。

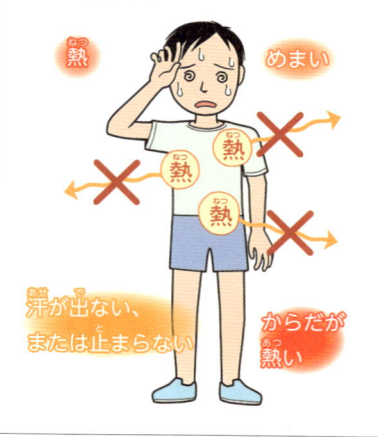

熱　めまい
汗が出ない、または止まらない　からだが熱い

SPORTS DRINK

汗とともに流れ出る塩分などを補うため、スポーツドリンクなどで水分補給を!!

都市部の集中豪雨は危険がいっぱい!!

集中豪雨は洪水や土砂災害の原因となるほか、住宅やビルが密集する都市部では「都市型水害」を引き起こすことがある。

都市部の道路はアスファルトで覆われているため、雨水が染み込まない。このため、1時間に50mm以上の集中豪雨が降ると、川や下水道から水があふれてしまいがちなのだ。

冠水している道は危ない!!

あふれ出た水で道路が覆われると、マンホールのふたなどが外れていても分からず危険。

地下や半地下から避難!!

地下室などは浸水しやすく、水圧でドアが開かなくなる場合もある。

川などには近づかない!!

都市部では、地面に染み込まない水が川や下水に流れ込み、あふれがちだ。

地面より低い道は通らない!!

立体交差する道で、路面が低い方の道には水が流れ込むので、通らないようにする。

SCIENCE CONAN ●防災の不思議

防災キーワード 線状降水帯

雨をもたらす積乱雲は、台風のように大型化していなければ、通常は1時間程度で消えてしまう。しかし気象条件によって、時には積乱雲が線状に長く連なってしまうことがある。これを「線状降水帯」と呼ぶよ。

線状降水帯が生じる一因としては、「バックビルディング現象」がある。ある場所で発生した積乱雲が風で流されると同時に、元の場所で次つぎと新しい雲が発生することによって、積乱雲が連なってしまうんだ。

線状降水帯の下の地域には、長時間にわたって激しい雨が降り続く。2015年には、関東地方から東北地方にかけて東西200km、南北500kmにわたる線状降水帯が発生し、栃木県と茨城県に記録的な大雨をもたらしたんだ。残念ながら、今の技術では、線状降水帯の発生を予測するのは難しいそうだよ。

バックビルディング現象による線状降水帯の発生メカニズム

①暖かく湿った空気がぶつかって、積乱雲ができる。

②積乱雲が風で流れるとともに、元の場所で次つぎと新しい積乱雲ができて線状に連なる。

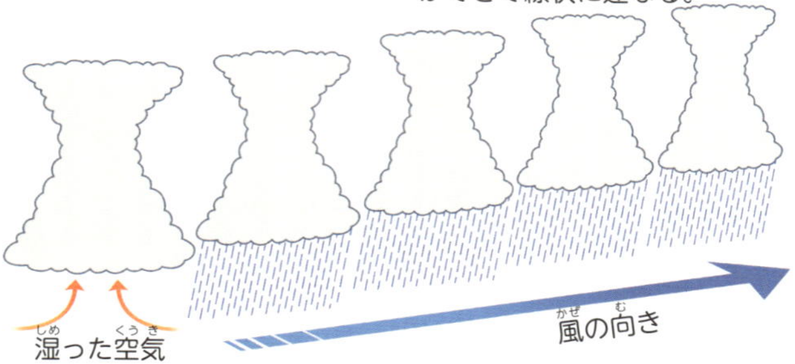

防災の二歩目は、過去に学ぶこと!!

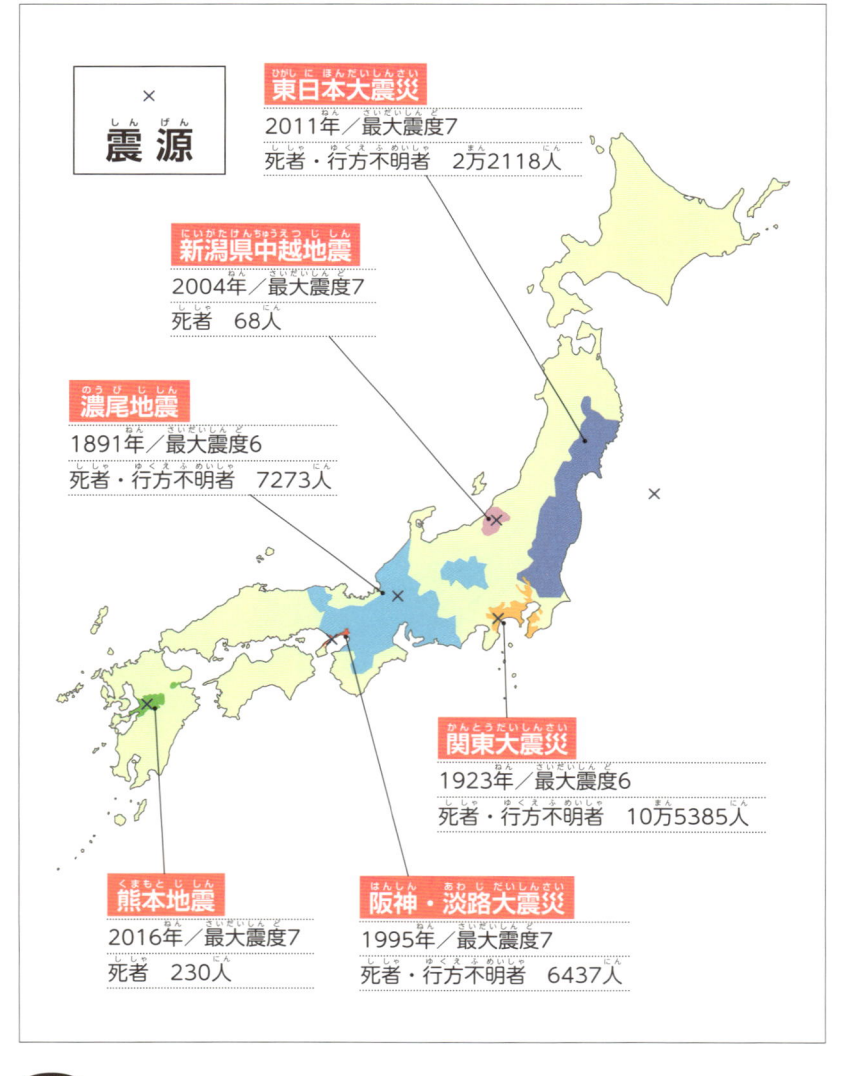

震源（しんげん）　×

東日本大震災（ひがしにほんだいしんさい）
2011年／最大震度7（さいだいしんど）
死者・行方不明者（ししゃ・ゆくえふめいしゃ）　2万2118人（まん・にん）

新潟県中越地震（にいがたけんちゅうえつじしん）
2004年／最大震度7（ねん・さいだいしんど）
死者（ししゃ）　68人（にん）

濃尾地震（のうびじしん）
1891年／最大震度6（ねん・さいだいしんど）
死者・行方不明者（ししゃ・ゆくえふめいしゃ）　7273人（にん）

関東大震災（かんとうだいしんさい）
1923年／最大震度6（ねん・さいだいしんど）
死者・行方不明者（ししゃ・ゆくえふめいしゃ）　10万5385人（まん・にん）

熊本地震（くまもとじしん）
2016年／最大震度7（ねん・さいだいしんど）
死者（ししゃ）　230人（にん）

阪神・淡路大震災（はんしん・あわじだいしんさい）
1995年／最大震度7（ねん・さいだいしんど）
死者・行方不明者（ししゃ・ゆくえふめいしゃ）　6437人（にん）

"減災" へのとり組み

● 関東大震災……火災 87.1 %
● 阪神・淡路大震災
……家屋の倒壊・家具の転倒 83.3 %
● 東日本大震災……津波92.4 %

それぞれの地震で亡くなった人たちの死因を調べると、地域ごとに異なることが明らかだ。

地震が発生するのを、人が防ぐことはできない。だからこそ、地震による災害を軽減する "減災" が重要なのじゃ。例えば、1891年に起こった濃尾地震では多くの建物が倒壊したため、建築物における耐震構造の研究が進むきっかけになった。また、1995年の阪神・淡路大震災をきっかけに、政府は地震調査研究推進本部を設置したのじゃ。

2004年の新潟県中越地震や2016年の熊本地震では、土砂災害に遭った人が多かった。住んでいる地域や、その時どきの天候によって、被災する原因は変化するんだ。だから、学校での避難訓練だけではなく、きみたちが住んでいる地域の防災訓練にも積極的に参加して、さまざまな状況に対応できるようにしておこう。

過去の津波災害に学ぶ

奈良時代に成立した歴史書『日本書紀』には、684年の白鳳地震が、四国の土佐（高知県）に津波を引き起こした記録が残されている。このように災害を記録することで、後世への教訓を残そうとしたんだね。

物語『稲むらの火（※）』が伝える津波の教訓

村の高台に住む庄屋の五兵衛は、地震のあと、海の水が沖に引いていくのを見て、津波が来ることを察知する。そこで五兵衛は、自分の田で刈りとったばかりの"稲むら"に松明で火を点け、下の村に住む村人たちに危険を知らせた——。

この物語は、1854年に西日本一帯に津波被害をもたらした安政南海大地震の際、実際にあった出来事に基づいている。

津波の際は、素早く避難することが大切なことを伝える物語だ。

※『稲むらの火』（1937年）：作／中井常蔵、原作／ラフカディオ・ハーン（小泉八雲）

地球の裏側からやって来た大津波

日本からみて、南アメリカ大陸のチリという国は、ほぼ地球の真裏にある。そんな遠い国で1960年に起こったチリ地震（最大震度6）は、発生してから22時間30分後、日本の太平洋岸一帯に最大波高6.1mの津波をもたらした。

このことから、日本は以降、国外の地震であっても、津波を起こす恐れのある地震については警報を発するようになった。

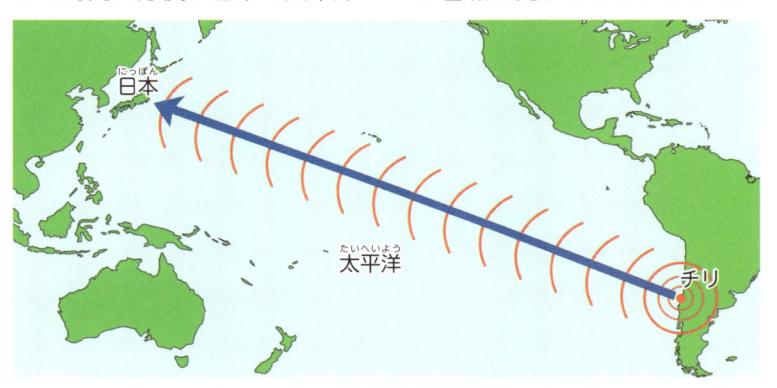

日本

太平洋

チリ

津波を防ぎきれなかった防潮堤

青森県や宮城県などでは過去の津波災害を踏まえ、高さ4mから一部では10mを超える防潮堤がつくられていた。しかし2011年の東日本大震災の津波は、それらを乗り越えてしまった。このため東北地方では、津波が届かない高台に住宅地をつくることが進められている。

過去の台風災害に学ぶ

台風の発生数は毎年25個くらい。過去と比べて、数が増えているわけではないけれど、地球温暖化の影響により、巨大化する傾向にあるといわれている。台風のエネルギー源は、暖かい海から立ちのぼる水蒸気だ。近年は、日本近海の水温が高く、エネルギー供給が途絶えないため、台風が勢力を弱めることなく日本に上陸するケースが増えているよ。

昭和の三大台風①

室戸台風（1934年9月）

最低気圧：911.6hPa（※）

最大瞬間風速：毎秒60.0m

死者：2702人

昭和時代以降の台風の中で、特に被害の大きかった3個を「昭和の三大台風」と呼ぶ。台風は、陸上での中心気圧が低いほど勢力が強く、この室戸台風の強さは、日本での歴代3位。

1934年9月、高知県室戸岬付近から上陸した台風は、近畿地方から日本海側に抜け、再び上陸して太平洋側に去った。その際、大阪などの京阪神エリアに大きな被害をもたらした。

※最低気圧、最大瞬間風速ともに、上陸時の観測値です。

昭和の三大台風②

枕崎台風（1945年9月）

最低気圧：916.1hPa

最大瞬間風速：毎秒62.7m

死者：2473人

1945年9月、鹿児島県枕崎付近に上陸し、九州地方から中国地方を直撃した台風。日本海側に抜けたあと、再び上陸して太平洋側に抜けていった。

当時、日本は第二次世界大戦の敗戦直後だったため、気象情報が少なく、防災体制も十分ではなかった。このため、各地で大きな被害が出たが、特に、原爆被災直後だった広島県での被害が大きかった。

昭和の三大台風③

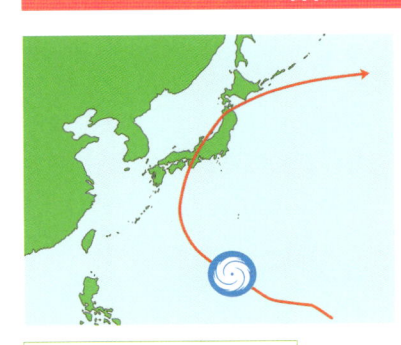

伊勢湾台風（1959年9月）

最低気圧：929.2hPa

最大瞬間風速：毎秒55.3m

死者：4697人

1959年9月、本州の南海上で急速に勢力を増したまま、和歌山県潮岬付近に上陸した台風。伊勢湾沿岸の愛知県や三重県に、特に大きな被害をもたらした。日本海側に抜けた台風は、再び上陸して太平洋側に抜けていった。

台風による経済的被害はほぼ全国に及び、その規模は2011年の東日本大震災での被害に迫るものだったとされている。

竜巻と昔ばなし

竜巻の発生数は、日本の陸地では年間25個くらい。過去と比べて、あまり変わらんのじゃが、増えたように感じている人も多いようじゃ。それはきっと、動画を撮影できるスマートフォンが普及したため、竜巻の映像を見る機会が増えたことによる影響じゃろう。ちなみに、日本では平安時代から『竜巻』という言葉があり、昔ばなしにも登場するぞ。

なぜ"竜巻"と呼ぶの？

「竜」は想像上の生き物で、中国から日本に伝来した。日本で竜は、水神として信仰の対象となり、日照りが続くと、人びとは竜に雨乞いの祈りを捧げた。竜は鳴き声によって雷雲や嵐をもたらし、雲を起こしながら天に昇ると考えられていたのだ。

やがて、積乱雲からのびる渦巻きを「竜巻」と呼ぶようになったのは、天に昇る竜の姿に見立ててのことだったのだろう。

昔ばなし『琵琶法師と竜』

竜と竜巻が出てくる、日本の昔ばなしを紹介しよう。

昔、目の見えない琵琶法師が、池のほとりで、池の主の竜神から呼び止められた。そして、「明日、下の村に大洪水を起こすが、このことはだれにも言うな」と告げられる。

あまりの恐ろしさに、一度は逃げだそうとした法師だが、意を決して村人たちに事情を話し、彼らを洪水から救う。しかし、怒った竜神の竜巻に巻かれ、法師は姿を消してしまう。あとに残ったのは、池に浮かんだ法師の琵琶だけだったそうだ。

『オズの魔法使い（※）』と竜巻

竜巻は、外国の物語にも登場する。

アメリカの有名な児童文学作品『オズの魔法使い』では、カンザス州の農場で暮らす少女ドロシーが、家ごと竜巻に巻き上げられて、不思議な「オズの国」へ飛ばされてしまうところから、物語がはじまっている。

オズの国で、ドロシーは北の良い魔女をはじめ、カカシやブリキの木こり、気が弱いライオンたちと出会うが……。

もし、ドロシーたちの冒険に興味を持ったなら、ぜひ一度、本を手にとって読んでみよう!!

SCIENCE CONAN ● 防災の不思議

※『オズの魔法使い』（1900年）：作／ライマン・フランク・ボーム

過去の火山災害に学ぶ

"火山国"である日本は、大昔から火山の噴火による災害をこうむってきた。
じゃが、火山災害は過去の話ではなく、今現在も警戒し続けなければならないものなのじゃ。
ここでは、すでに73ページで紹介した御嶽山と桜島を除き、2000年以降の比較的最近に噴火した山をとり上げて、紹介していくことにしよう。

2000年 三宅島（東京都）

太平洋に浮かぶ伊豆諸島の一つ、三宅島は、ほかの伊豆大島や利島、新島などと同じく、海底火山の噴火によってできた島だ。そして、過去にもたびたび噴火をくり返してきた。

2000年に起こった三宅島の噴火では、8月18日に最大の噴火が発生。その噴煙は、上空1万5000mにも達した。

同年9月2日には、全島民が島外へ避難。その後、島の人た

ちは4年5か月の長きにわたって避難生活を強いられた。避難指示が解除されたのは2005年2月1日のことだった。

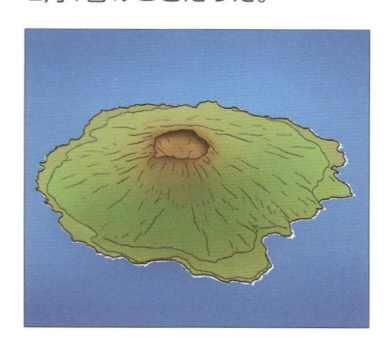

2000年 有珠山（北海道）

有珠山は、約30年に一度の間隔で噴火し、噴火の前には地震が多発する特徴がある。2000年3月に噴火がはじまった時も、その前に地震が多発した。その兆候をとらえて噴火を予測できたおかげで、周辺の住民約1万5000人は無事に避難することができた。

2011年 新燃岳（鹿児島県・宮崎県）

2011年1月から2月にかけて、24回の爆発的な噴火が発生。宮崎県の日南市や都城市あたりまで火山灰が降ったため、交通機関に大きな影響が出た。2017年の時点でも、火口周辺は立ち入り禁止になっている。

2015年 口永良部島（鹿児島県）

2015年5月29日の9時50分に噴火が発生。すぐに避難指示が出され、同日の17時32分までには、フェリーなどによる全島民の避難が完了した。翌年に避難指示は解除されたが、火口周辺は立ち入り禁止が続いている。

SCIENCE CONAN ● 防災の不思議

30ページで説明したように、火が燃えるためには可燃物と高い温度、そして酸素が必要だ。

例えば、窓を閉め切った気密性の高いマンションの部屋で火災が起こると、やがて酸素が不足してくる。そして、燃えるもの（可燃物）はまだ残っていても、いったん火が消えたような状態になるんだ。このような状態を「不完全燃焼」と呼ぶよ。

不完全燃焼が起こると、可燃性ガスの「一酸化炭素」が発生し、やがて部屋の中に充満してしまう。この状態で玄関のドアを開けたりすると、熱せられた一酸化炭素に、外から流れ込んだ酸素が急速に結びついて爆発的な燃焼を起こす。これを「バックドラフト」と呼ぶんだ。

バックドラフトは、命に関わる危険な現象だ。だから、万が一火事が起こった時に備え、このキーワードを覚えていてね。

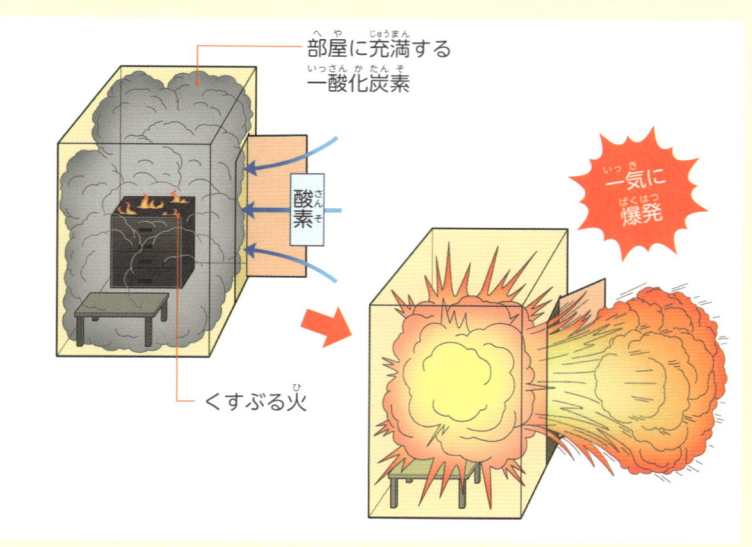

部屋に充満する一酸化炭素

酸素

一気に爆発

くすぶる火

災害に備えて用意すべきもの

こんにちは～。

おっ、
みんな
来たな。

13-1

今日はうちの庭で
キャンプをしながら、
災害時のサバイバル
テクニックを
学んでいくぞ。

まず、災害に備えて
家庭で常に用意して
おくべきものは何か
分かるかの？

水だな！

それと食料も
欠かせませんよ。

ヒトは水を飲まなければ、2、3日で死んでしまう。

だから、水と保存がきく食料をそれぞれ3日分は用意しておこう。

米はパックご飯のほか、とがずに炊ける無洗米や、水を注ぐだけでも食べられるアルファ化米も便利だよ。

缶詰

主食

水は1日一人あたり約4L

菓子など

食品のほか、こんな日用品も少し多めに備蓄しておくとよいぞ。

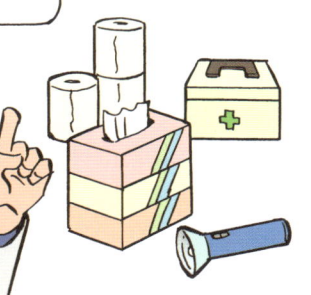

・ティッシュペーパー
・トイレットペーパー
・ウェットティッシュ
・救急箱と常備薬
・使い捨てカイロ
・使い捨てライター
・ポリ袋
・ラップ
・懐中電灯
・ラジオなど

これらは、災害が起こったあとの生活に必要なものじゃが、ところで……

災害で避難しなければならない時、何を持ち出せばよいか分かるかの？

う〜ん？

非常用持ち出し袋の中身はこれ!!

- □ リュックサック
- □ ヘルメット
- □ 防災頭巾
- □ 軍手
- □ 携帯ラジオ
- □ 電池
- □ ライター
- □ ろうそく
- □ 万能ナイフ
- □ 衣類

- □ 飲み水
- □ 食品
- □ インスタントラーメン
- □ 毛布
- □ 懐中電灯
- □ 現金
- □ 貯金通帳
- □ 印鑑
- □ 救急箱
- □ 地域の地図

上の表にあるもののほか、
使い捨てカイロやウェットティッシュ、
ポリ袋などもあると便利だよ。
人によっては、予備のめがねやスマート
フォンの充電器と予備バッテリーなども
必要かもしれないね。
さらに、このあとのページで紹介して
いくグッズも用意しておくと、
何かと使い道があるよ。

SCIENCE CONAN ● 防災の不思議

ふむ、
テントはこれで
よいじゃろう。

14-1

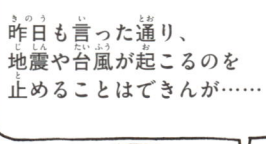

昨日も言った通り、
地震や台風が起こるのを
止めることはできんが……

災害に備えて、
いろいろ準備しておく
ことが大切なのは
分かったじゃろ？

よく
分かったわ。

まず自分の部屋を片づけて、地震に強い部屋をつくるだろ……。

それから、水や食料を蓄えておき、非常用持ち出し袋を用意することですね。

地域の防災訓練に参加するのも大切よ。

部屋を片づけるだけじゃなく、庭や外の掃除もしないとね。

こんなふうに排水溝や雨樋が落ち葉などで詰まっていると、大雨が降ったらすぐに水があふれてしまうわ。

ムムム……。

14-2

庭の掃除は博士に任せておいて……

防災のためにしておくべきことを次からのページにまとめたから、みんなもチェックしてね。

解明！防災対策5プラス1

① 地震に強い部屋をつくる

② 雨樋や排水溝を掃除する

③ 非常用持ち出し袋を用意する

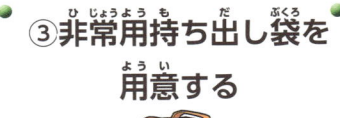

④ 防災訓練に参加する

⑤ 天気予報を見る習慣をつける

ここにまとめたのは、防災対策の基本5項目。もし外出の予定があったとしても、台風などが接近していたら、中止する勇気も必要だ。この5項目に合わせて、下の防災マニュアルもつくっておこう。

家庭用防災マニュアルのすすめ

あらかじめ避難場所や、連絡をとり合う方法を決めておいたとしても、いざ災害が起こると慌ててしまったり、忘れてしまったりするものだ。

そこで、家庭で話し合ったことをマニュアルという形で残し、非常用持ち出し袋の中に入れておこう。緊急連絡先の電話番号も記載しておけば、スマートフォンのバッテリーが切れても、公衆電話から電話をかけられるよ。

阿笠家の防災マニュアル

①家族との連絡方法を決めておく

緊急連絡先と同様、公衆電話からも連絡できるよう、家族のスマートフォンの電話番号を書いておく。離れた場所に住んでいる親戚の電話番号も書いておくと、いざという時に伝言などを頼むことができる。

②待ち合わせ場所、避難場所を決めておく

家族で話し合って決めた場所と、そこまでの行き方をまとめておこう。このほか、忘れてしまいがちな災害用伝言ダイヤルの使い方や、保険証の番号など必要なことを書き込んでおくと、いざという時に役立つよ。

SCIENCE CONAN ● 防災の不思議

防災マニュアルの見本は次のページを参照してね！

●●家の防災マニュアル

①家族との連絡方法

第一手段

お父さんの携帯電話　000-0000-0000
お母さんの携帯電話　000-0000-0000
○○小学校　00-0000-0000

第二手段

玄関のドアに、避難先や状況を書いて貼っておく。

第三手段

京都のおばあちゃん（000-000-0000）に電話して、避難先や状況を伝える。

災害用伝言ダイヤルの使い方

❶公衆電話などから「1」「7」「1」を押す
❷録音は「1」 ➡ 自宅の電話番号 ➡ 「ピー」のあと録音（30秒）
❸再生は「2」 ➡ （市外局番から） ➡ 録音された音声の再生がはじまる

※伝言の保存期間は48時間。

---

②待ち合わせ場所

スーパー「B」の裏の△△公園

・自宅からでも、学校からでも、いつもの通学路で避難する。
・B駅からの場合は、西口に出て陸橋を渡り、1つ目のコンビニエンスストアを右折。
・公園の近くに火災などの危険が迫っていたり、2時間待っても会えない時は、○○小学校へ避難する。

③避難場所

○○小学校

・洪水などの災害の時は、まっすぐここに避難する。
・小学校までたどり着くのが難しい状況だったら、各自の判断で□□公園など近くの避難所へ。行き先を災害用伝言ダイヤルに録音する。

④そのほかの緊急連絡先

・○○市役所　00-0000-0000
・○○消防署　00-0000-0000
・○○警察署　00-0000-0000

⑤家から避難する前にしておくこと

・電気のブレーカーを落とす。
・ガスの元栓を閉める。
・非常用持ち出し袋を持つ。
・窓や玄関のカギをかける。
・玄関のドアにメモを貼る。
・身分証明書や保険証などを忘れない。

お父さんの運転免許証番号	0000-0000-0000
お父さんのクレジットカード番号	0000-0000-0000-0000
お父さんの保険証番号	0000-000-0
●●家の権利証番号	000-000-000-000

ラジオの災害情報

AM	NHK第1	531kHz
FM	NHK FM	83.1MHz

ドサッ

やれやれ、やっと掃除が終わったわい。

博士が掃除をしているあいだに、

15-1

みんなには防災マニュアルのつくり方を説明しておいたわ。

どれどれ。

ふむ……。

なかなかよくできておるが、これだけでは十分とは言えんのぉ。

え……？

このマニュアルだと、待ち合わせ場所の公園や避難先の小学校まで、通学路を使うことになっているけど……。

ええ。だって通学路なら安全でしょ？

でも、災害が起こった時にも安全かどうかは、歩いて確かめてみなければ分からないってことじゃないかな？

15-2

な、博士。

うむ、そこで次の指令じゃ。

紙とえんぴつを渡すから、みんなで防災マップづくりにチャレンジするのじゃ。

いってきまーす。

うむ、車に気をつけてな。

SCIENCE CONAN ● 防災の不思議

解明！ 危険な場所をマップに書き込もう

みんなが住んでいる地域の自治体のホームページを見ると、津波浸水想定マップや土砂災害危険度マップなど、さまざまな防災マップが公開されているよ。それらを参考にしながら、自宅と学校、避難先を含んだエリアの手書きの防災マップをつくってみよう!! 非常用持ち出し袋の中に入れておくと、いざという時に役立つよ。

用意するもの

A3サイズの画用紙

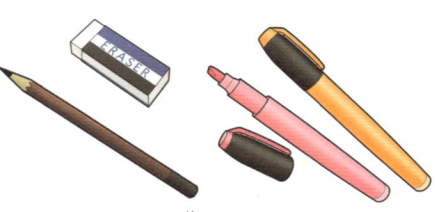

えんぴつ、消しゴム、マーカー

地域の自治体の防災マップ

手順 1 画用紙に地図を書く

地域の防災マップなどを参考にして、自宅と学校、避難先を含んだエリアの地図を画用紙に書く。海や川、鉄道の駅などがエリア内にあれば、それらも書き込んでおこう。

手順 2 役立つもの、危険な場所を書き込んでいく

地域の防災マップを参考にしながら、消火栓や指定避難場所などの「役立つもの・場所」と、洪水や土砂災害などが起こる「危険性の高い場所」を地図に書き込んでいく。

手順 3 避難ルートを歩き、さらに情報を加える

過去に津波の被害に遭った地域には「津波到達地点」の標識などがあるので、地図に書き加えていく。可能であれば、地域の人たちに話を聞いて、情報を得るのもおすすめだ。

SCIENCE CONAN ● 防災の不思議

防災マップの見本は次のページを参照してね！

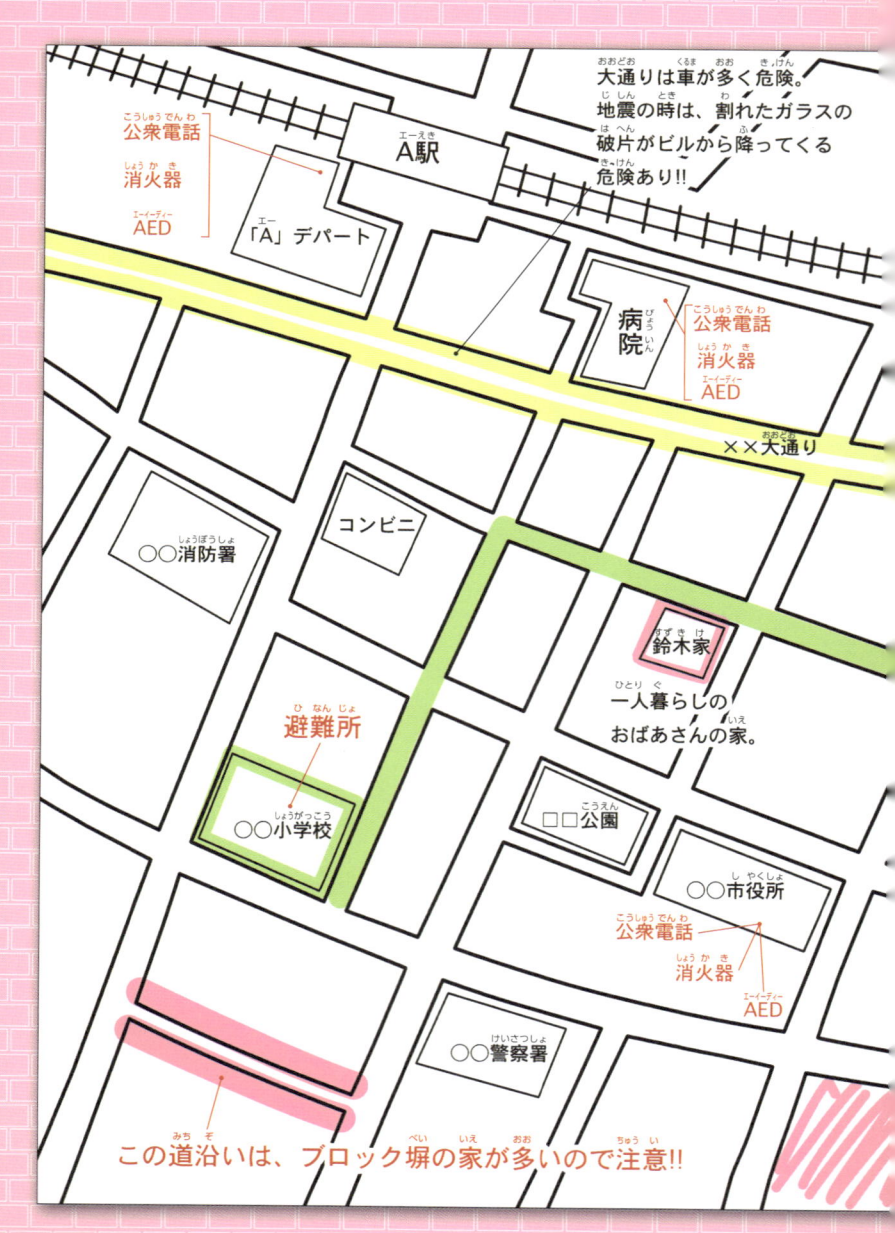

大通りは車が多く危険。地震の時は、割れたガラスの破片がビルから降ってくる危険あり!!

公衆電話
消火器
AED

A駅

「A」デパート

病院

公衆電話
消火器
AED

××大通り

〇〇消防署

コンビニ

鈴木家

一人暮らしのおばあさんの家。

避難所

〇〇小学校

□□公園

〇〇市役所

公衆電話
消火器
AED

〇〇警察署

この道沿いは、ブロック塀の家が多いので注意!!

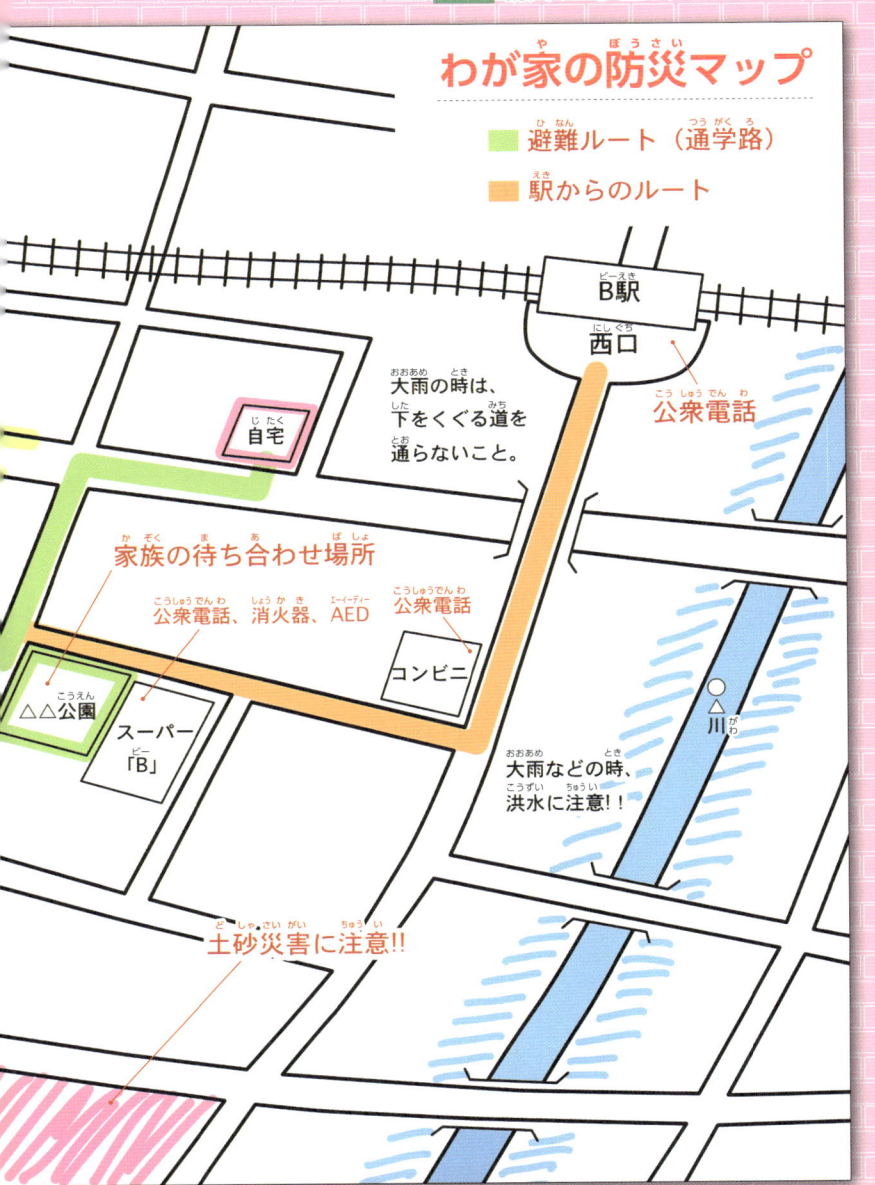

わが家の防災マップ

- 避難ルート（通学路）
- 駅からのルート

B駅

西口

公衆電話

大雨の時は、下をくぐる道を通らないこと。

自宅

家族の待ち合わせ場所

公衆電話、消火器、AED

公衆電話

コンビニ

△△公園

スーパー「B」

川

大雨などの時、洪水に注意!!

土砂災害に注意!!

灰原さん。

さっき、マップに一丁目の鈴木さんの家を書き込んでいましたけど……？

ああ、あれはね……

鈴木家
（一人暮らしのおばあさん）

16-1

鈴木さんは一人暮らしで足がじょうぶじゃないから、災害の時は手助けしようと思っているの。

手助けを必要としている人がいたら、みんなも子どもなりにできることをしてあげなくちゃな。

おうっ、任せとけ！

災害時に限らず、もし道に倒れている人がいたら、どうすればいいと思う？

聞こえますか‼

防災訓練で習いました！軽く肩をたたきながら呼びかけて、意識があるかどうかを確認するんです。

もし反応がなかったら、大声で助けを呼びます。

だれか来てください！人が倒れてます‼

そこでおとなが来れば119番に通報してもらったり、心肺蘇生を任せたりすればいいんだけど……

SCIENCE CONAN ● 防災の不思議

16-2

おとなだからといって救命法の知識があるとは限らないだろ？

だから、みんなにも心肺蘇生の方法や、停止した心臓を再び動かすためのAEDの使い方を覚えて、いざという時に役立ててほしいんだ。

心肺蘇生法

AED
（自動体外式除細動器）

♥ AED

心肺蘇生法（しんぱいそせいほう）

① 倒れている人の意識を確認

聞こえますか!!

② 助けを呼ぶ

　倒れている人の反応がなかった場合は、大声で助けを呼ぼう。協力してくれる人が現れたら、119番への通報と、AEDを持ってきてくれるように頼む。

　もし、協力者が現れなかった場合は、自分で119番に通報し、救急車の到着を待つ。

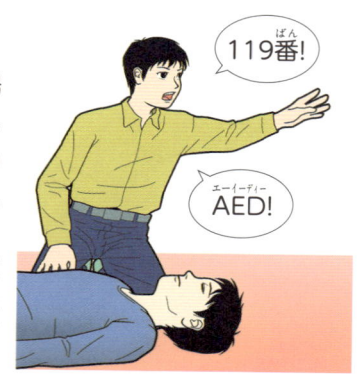

119番!

AED!

③ 呼吸を確認する

　救急車を待つあいだ、倒れている人の呼吸を手早く確認する。

　まず、倒れている人のあごを図のように持ち上げて頭をのけぞらせ、空気が肺に届きやすくする。そして10秒以内に呼吸を確認し、呼吸が乱れているようであれば人工呼吸、乱れがなければ胸骨を圧迫する。

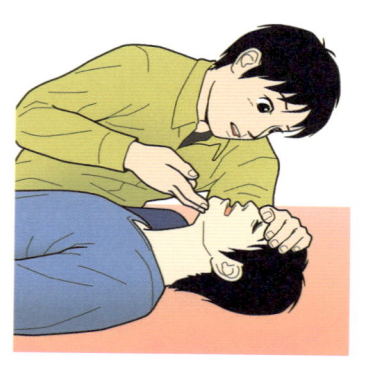

④人工呼吸をする※

　人工呼吸を行う場合は、インフルエンザなどの感染症がうつらないよう、図のような感染防止用のシートを使おう。額に当てた手の人差し指と親指で相手の鼻をつまみ、空気がもれないように口を覆って、約1秒間、息を吹き込む。この時、相手の胸が持ち上がるのを確認する。

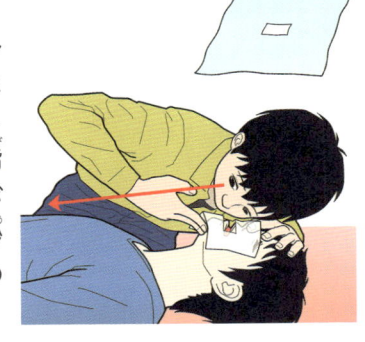

⑤胸骨を圧迫する

　人工呼吸を2回行ったら、すぐに相手の胸の中央に両手を重ね、5㎝沈むくらい強く圧迫する。ひじを曲げたりせず、真上から体重をのせて押すのがコツだ。

　「1分間に100回」の速いテンポで、強く、速く、絶え間なく、30回続けて胸を圧迫しよう。

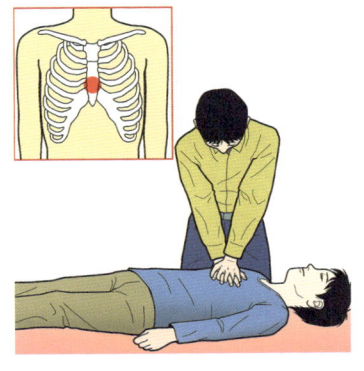

心肺蘇生は人工呼吸2回、胸骨圧迫30回だよ。救急隊に引き継ぐまで、あるいは倒れている人がうめき声をあげたり、正常な呼吸をはじめるまで、絶え間なく続けるんだ。その途中でAEDが届いたら、すぐにAEDを使う準備をはじめよう。

※感染防止用のシートがなければ、この手順は省きます。

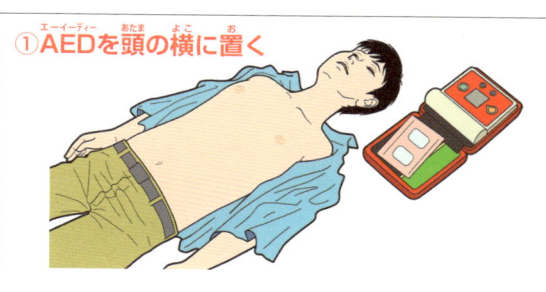

AED
自動体外式
除細動器

①AEDを頭の横に置く

②AEDの電源をオン

　AEDは、おとなにはもちろん、1歳以上の子どもに対しても使えるよ。まず、AEDのふたを開け、電源ボタンを押そう(ふたを開けると、自動的に電源が入るタイプもある)。電源を入れたら、あとは音声メッセージとランプの明滅に従って操作するだけだ。

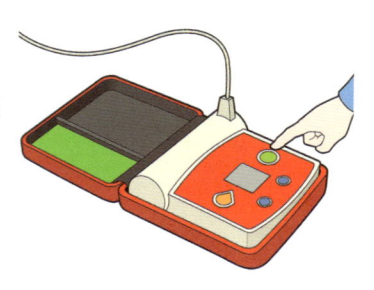

③電極パッドを貼る

　倒れている人の胸をはだけたら、電極パッドを右胸の上と左胸の下に、肌に直接貼ろう。貼る位置は、電極パッドにもイラストで示されているよ。もし、成人用(8歳以上)と小児用(1歳以上から8歳未満)のパッドが入っていた場合は、適したパッドを使用すること。

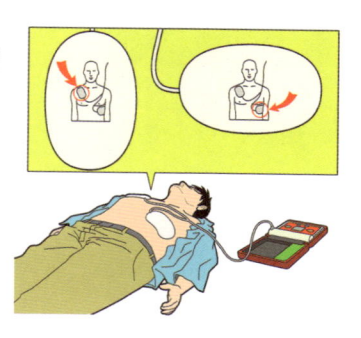

④心電図の解析を待つ

電極パッドを貼ると、「からだに触れないでください」などと音声が流れる。そして、自動的に心電図の解析がはじまるよ。もし、倒れている人の周囲に、救助の協力者などがいた場合は、心電図の解析を待つあいだ、倒れている人にだれも触れないよう、注意を促そう。

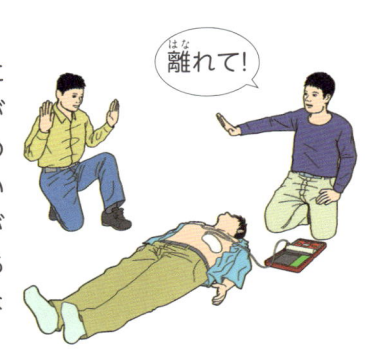

離れて!

⑤ショックボタンを押す

心電図の解析が終わり、電気ショックを加える必要がある、とAEDが判断した場合は、「ショックが必要です」などの音声メッセージが流れるとともに、自動的に充電がはじまる。その後、音声メッセージとランプの明滅に従ってショックボタンを押そう。

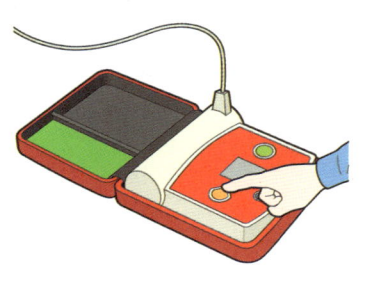

AEDは心肺が停止してしまった人を救うための機器だよ。電気ショックを加える時は、自分が感電しないように、必ず相手から離れよう。④または⑤までの手順が終わったら、2分後にAEDが再び心電図の解析をはじめるまで、心肺蘇生をくり返そう。

"RICEの法則" って何だろう？

心肺蘇生法や
AEDが大切なのは
分かった
けどさ……

打ち身　　ねんざ　　切りキズ

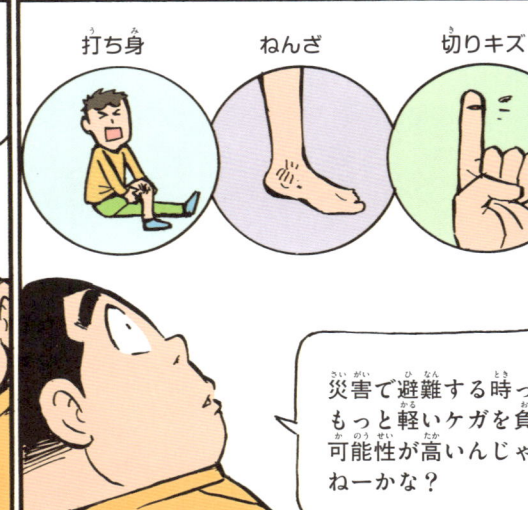

災害で避難する時って、
もっと軽いケガを負う
可能性が高いんじゃ
ねーかな？

17-1

確かに
そうですね。

でも、
軽いケガだから
って放っておいたら
悪化してしまうわ。

ケガの応急処置には
"RICEの法則"が
大切なんだ。

ライス!?

ライスといったら、ご飯のことですかね？

おっ、何かうまそー。

ちがうちがう。

"RICE"っていうのは、この4つの英単語の頭文字をとったものなんだ。

- **R**est ＝ 安静
- **I**cing ＝ 冷却
- **C**ompression ＝ 圧迫
- **E**levation ＝ 高挙

RICEの法則は、ケガを負った時にできるだけ患部のハレや出血を抑えるための方法なんだ。

これから一つ一つの内容を説明していくから、いざという時のために、みんなも覚えておこう！

17
2

解明！応急処置の4原則はこれだ!!

災害の時に限らず、
スポーツをしている時などに
打ち身、ねんざや切りキズを
負うことは、よくあることだ。
そんな時は、医務室や病院に
駆け込む前に、
まずは"RICEの法則"に従って、
その場で応急処置を施そう。
応急処置を施すと、ケガを
負った場所のハレや出血が
抑えられ、その後の
回復も早くなるんだよ。

Rest レスト
安静 あんせい

ケガを負った場所に負担がかからないような姿勢をとり、まずは安静にする。

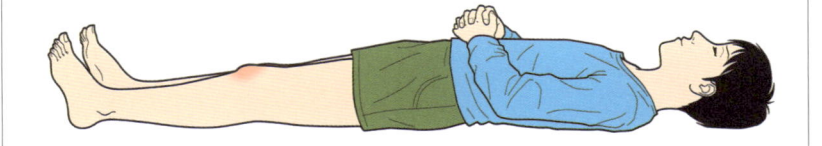

Icing アイシング
冷却 れいきゃく

タオルの上から氷で冷やす。氷がない時は流水をかけ続けるか、濡らしたタオルを当てる。湿布薬では"冷却"にならないので注意。

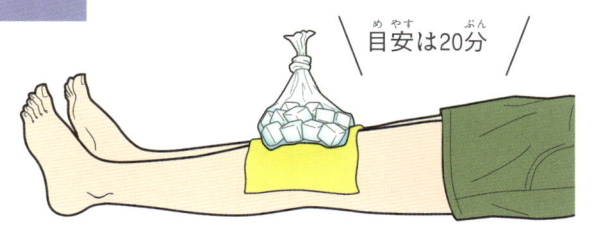

目安は20分

Compression コンプレッション
圧迫 あっぱく

ケガを負った部分に伸縮包帯などを巻き、適度に圧迫する。

あまり強くぎゅうぎゅうに巻かないように注意!!

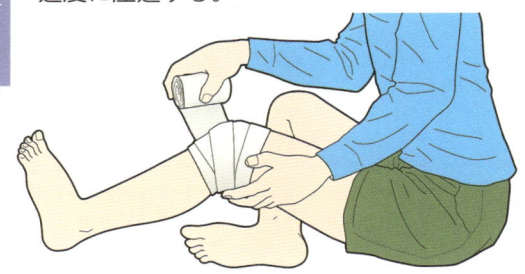

Elevation エレベーション
高挙 こうきょ

クッションやタオルを使って、ケガを負った場所を心臓よりも高い位置に挙げておくと、ハレや出血が抑えられる。

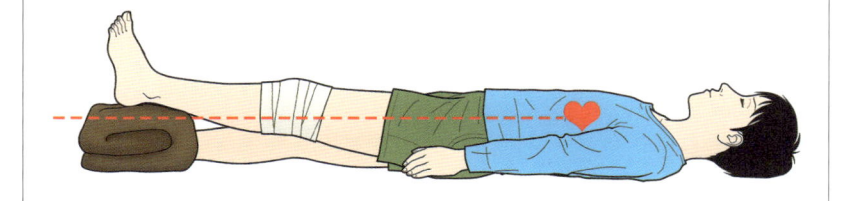

SCIENCE CONAN ● 防災の不思議

断水だ！　飲み水がない‼

ただいまー。

おっ、帰ってきたか。

18-1

な、何だよこれ!?

のどがカラカラだ〜。水、水‼

今日はサバイバルキャンプじゃから……

災害によって水道水が止まってしまった——という設定じゃ。

エエーッ!!

備蓄した飲み水があるうちはよいが、それも尽きてしまったら……。

18-2

ほら、元太。さっき公園で池の水を詰めてきてやったぞ。

そんな汚い水、飲めるかよ！

確かに、そのままでは飲むことはできん。

じゃが、その池の水を飲み水に変える方法があるのじゃ!!

川や池でくんだ生水を
そのまま飲むと、病原菌や
寄生虫、農薬などの化学物質に
汚染されておるために危険じゃ。

しかし、インターネットなどで
購入できる携帯用の浄水器で
ろ過してやれば、
飲み水として利用できる
ようになるのじゃよ（※）。

ストロー型浄水器

活性炭などが入った筒状の容器をにごり水に入れ、口で直接吸うタイプの浄水器。除菌剤を入れることで、魚が棲んでいるような比較的きれいな川や池の水、風呂の水、雨水などを飲むことができる。

小型なので、持ち歩きに便利だ。

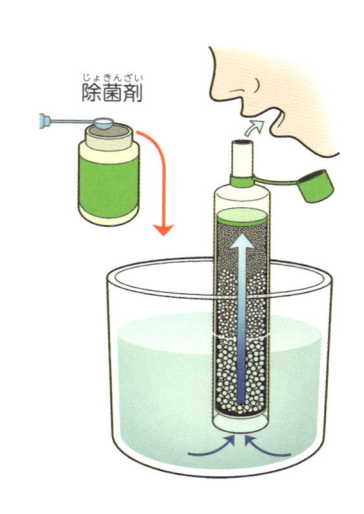

除菌剤

※ここで紹介したタイプの浄水器は、海水をろ過することはできません。

ボトル型浄水器

ボトルの中に、魚が棲んでいるような比較的きれいな川や池の水、風呂の水、雨水などを入れ、キャップ部分のフィルターでろ過して、コップなどに飲み水をつくる。病原菌や雑菌、カビ、にごりをとり除けるが、水に溶けている化学物質などはとり除けない。

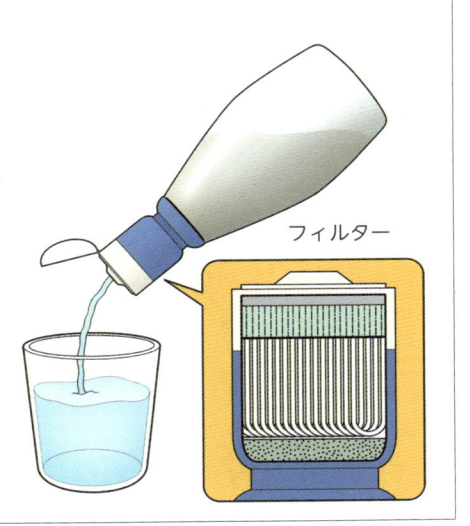

フィルター

ポンプ型浄水器

ここで紹介した3種類の中では、一番強力なろ過能力をもっている。1分間に約1L以上の飲み水を、川や池などから直接、ろ過しながらくみ上げることが可能。病原菌や雑菌、カビ、にごりをとり除くことができ、農薬などの化学物質も減らすことができる。

阿笠博士が紹介したような浄水器がない場合は、"ろ過"と"蒸留"が、飲み水をつくるのに有効だ。にごり水のろ過は、枯れ葉や砂、小石、炭などで漉す方法が一般的だけど、きれいな砂がないと、かえって水がにごってしまう。だから、布だけを使う方法を紹介するよ。

ろ過

バンダナやふきん、あるいはシーツやワイシャツなど、目の細かい布を八つ折りにして、コップなどの上にのせよう。そこに、にごり水を少しずつ静かに垂らす。布の汚れをとり除きながら、何度かろ過をくり返そう。

水が澄んできたら、次はこの水を蒸留するよ。

くんできた水

八つ折りにしたバンダナ

ペットボトルでつくった容器など

蒸留 <small>(じょうりゅう)</small>

ろ過した水を、やかんの4分の1くらいまで入れて、カセットコンロにのせる。やかんの注ぎ口にコップを逆さまにかぶせ、その下に別の容器を置く。中火で水を沸とうさせると、コップにこもった水蒸気が、やがて水滴となってしたたり落ちてくるよ。

ヤケドに注意!!

蒸留というのは、液体を一度気体にしてから、再び液体に戻すことで、液体の中の不純物をとり除く方法よ。
上の蒸留方法だと、沸とうしてから10分くらいで、コップ1杯分くらいの蒸留水が得られるわ。

断水で水洗トイレが使えない!?

> プハーッ、
> やっとひと息
> ついたぜ。

> 飲み水を手に入れる
> のがこんなに大変だ
> とは知りませんでした。

> ほんとよ
> ねー。

19-1

> おっと、
> ひと息ついたら
> 今度はトイレに行き
> たくなってきた。

グルルルグル

> そう思って、ホレ、
> トイレをつくる道具を
> 用意しておいたぞ。

ゴミ袋

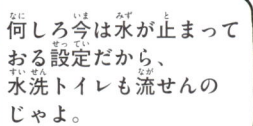

何しろ今は水が止まっておる設定だから、水洗トイレも流せんのじゃよ。

あの木の陰でするからいいよ。

いかんいかん。

排泄物は、仮設トイレなどをつくって適切に処理しなければ悪臭が漂うし、ハエがたかって不衛生になる。

それに元太はよくとも、女の子たちが……。

ちょっと待って!!

19-2

私たちは木の陰はもちろん、バケツのトイレなんか絶対に使いませんからね!!

ギロッ

ま、まあ、女子は家のトイレを使ってもよいことにしよう。ただし、使ったあとは風呂にためた水で流すのじゃぞ。

都市部で災害が起こった時、一番大変なのは、水や食料よりもトイレの問題だそうじゃ。何しろ都市部では、山の中で用を済ませて、土に埋める——ということができないからのお。ここではまず、断水でトイレの水は出ないが、"流すこと"はできる場合について説明するぞ。

断水時の水洗トイレの使い方

断水していても、排水できる場合は、バケツ1杯の水で排泄物を流すことができる。ただし、和式の水洗トイレは、排水レバーを押し下げながら流さないと、水があふれてしまうよ。トイレットペーパーは詰まる原因となるので流さず、別にゴミとして捨てること。

小便はまとめて流す！

下水管がこわれたりして
排水できない場合に限り、
簡易トイレをつくることを
検討しよう。
排水できなくなってしまった
水洗トイレの便器を使う方法と、
バケツを使う方法の2種類を
紹介するよ!!

簡易トイレはこうつくる！

　便器を使う場合は、便座を上げてから便器をポリ袋で覆い、便座を下げてから2枚目のポリ袋で覆う。ポリ袋の中には、細かく裂いた新聞紙を入れる。バケツの場合もポリ袋を2重にかぶせ、新聞紙を入れる。

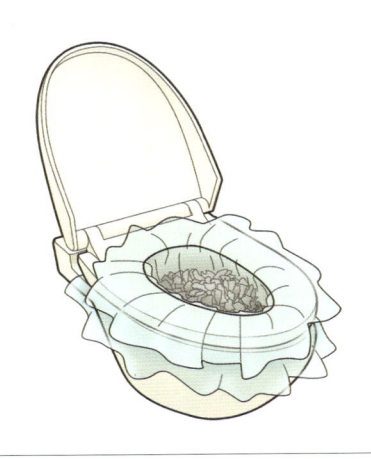

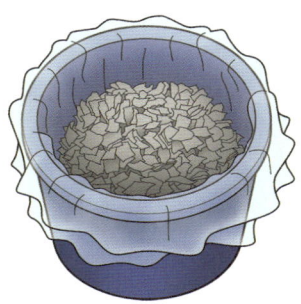

断水だ！　お風呂に入れない‼

今日は汗をかいたから、お風呂に入りたいわ。

でも"断水"だから、お風呂もダメなんでしょ？

う、うむ。まあそうじゃな。

それならおれは、このままでいーや。

ホジホジ

ボリボリ

元太くん、きたなーい。

からだは清潔に保たなければダメよ。

シャワーも浴びられないのに、どうしろって言うんだよ‼

ウェットティッシュには
アルコールを含む
タイプと、
ノンアルコールタイプが
あるんだ。

肌が弱い人には
ノンアルコールが
おすすめよ。

そんな時に役立つのが
ウェットティッシュじゃ。
水を使わずに顔やからだ
を拭くことができるぞ。

ドラッグストアなどで買える
清拭剤をタオルに含ませて
拭くのもいいようですね。

髪はドライシャンプー
を使えばいいのね!

シュッ

頭皮になじませてから
クシやブラシでとかし、
最後にタオルで拭きとる
だけで、さっぱりするわ!

SCIENCE CONAN ● 防災の不思議

20-2

歯ブラシがなくても、
ティッシュペーパーを
指に巻きつけて、歯や
歯ぐき、舌を拭って
口をすすげばいいんだよ。

それなら博士、
ウェットティッシュ
がなかった場合は、
どうすればいいんだ?

そんな時のために、
わずかコップ1杯の
水とタオル1本で
全身を拭く技を
教えてしんぜよう。

からだを清潔に保つ方法

災害が起こって、避難している時の水は貴重品じゃ。そこで、水を節約しながら、タオル1本で全身をくまなく拭くテクニックを紹介するぞ!!

①ペットボトルのふたに穴を開ける

よく洗った空のペットボトルを用意する。きりなどを使って、ふたに穴を開けよう。

コップ1杯分の水をペットボトルの中に入れたら、再びふたを閉めておく。

ケガに注意!!

②タオルに水を含ませる

3回折りたたんだタオルに、ペットボトルから少しずつ水を含ませていく。水をこぼさないように気をつけよう。

一つの面が湿ってきたら、別の面を湿らせたり、タオルを手でもんだりして、タオル全体に水を行き渡らせる。

③タオルの表裏を使って全身を拭く

タオルを3回折りたたむと、表裏合わせて16分割されたことになる。タオルを広げた状態で表すと、下の図のようなイメージだ。

このタオルの16面に合わせて、からだの部位も下の図のように16分割して考える。タオル

「1」の面でからだ「1」の部位を拭いたら、次は「2」の面で「2」の部位を――というように「16」まで拭いていく。

お風呂やシャワーを浴びた時ほどきれいにはならないけれど、からだの汚れを拭きとると、気持ちもさっぱりするよ。

タオル表

| 1 | 3 | 5 | 7 |
| 2 | 4 | 6 | 8 |

タオル裏

| 9 | 11 | 13 | 15 |
| 10 | 12 | 14 | 16 |

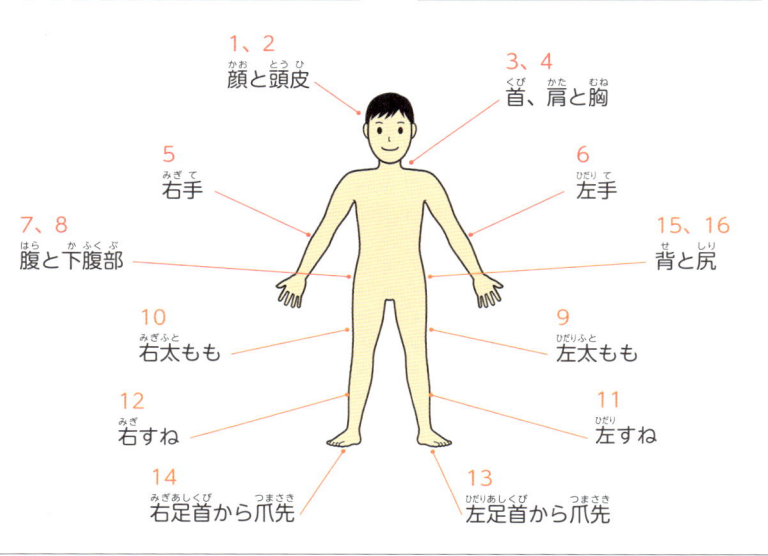

1、2 顔と頭皮
3、4 首、肩と胸
5 右手
6 左手
7、8 腹と下腹部
15、16 背と尻
10 右太もも
9 左太もも
12 右すね
11 左すね
14 右足首から爪先
13 左足首から爪先

SCIENCE CONAN ● 防災の不思議

停電だ！　どうすればいい!?

乾パンや缶詰だけの
夕飯は、何か
味気ないなー。

仕方がないですよ。
災害が起こったら、
そんなこと言ってられ
ませんからね。

21-1

暗くなっち
まったぞ。

電池切れのよう
じゃな。

こんな時のために、手回し充電式のライトを用意しておいたぞ。

ライトとラジオ、さらにスマートフォンへの充電機能も備えたスグレものなのじゃ。

手回しハンドルを勢いよく回すのじゃ。

これだな。

約1分間の充電で、ライトが約15分間灯るのか。

ぐるぐる

21-2

スイッチオン！

あっ、点きました!!

そ、それにしてもなぜハンドルを回すと電気がつくれるんだ？

解明！手回し発電の仕組み

手回し発電は、『磁気が変化すると電気が生まれる』という"電磁誘導"の仕組みを利用したものじゃ。
エナメル線などの導線を筒状に巻いたコイルに、磁石を近づけたり遠ざけたりすると、コイルの中で磁場が変化して、電気が生まれるのじゃ。

電磁誘導の仕組み

　磁石のまわりには「磁場」というものがあり、目には見えないけれど、そこには「磁力線」という磁場の影響を表す線がある。
　この磁力線がコイルを横切ると、コイルの磁場に変化が起こって、コイルに電流が流れるよ。

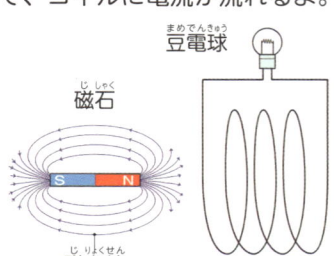

豆電球

磁石

磁力線

コイル

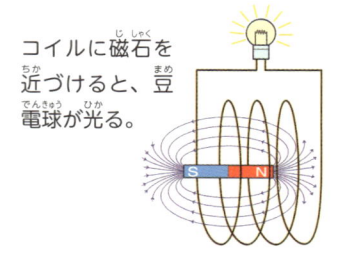

コイルに磁石を近づけると、豆電球が光る。

手回し発電は、左ページのように磁石をコイルに近づけたり遠ざけたりするのではなく、コイルの中で磁石を回転させることで、電磁誘導を起こしているんだ。ここでは、手回し発電機と同じ仕組みをもつ、自転車ライトの発電機を詳しく見てみよう!!

発電機の仕組み

手回し発電機は、ハンドルを手で回すことによって磁石を回転させ、発電している。一方、自転車ライトの場合は、タイヤが回転する力を伝えて、磁石を回転させ、発電しているんだ。

回転軸
自転車のタイヤの回転を発電機の磁石に伝える。

磁石

コイル
磁石が回ると磁気が変化して、コイルに電気が生まれる。

導線

太陽を味方に電気をつくろう‼

よ〜
ぐったり

あっ、また
止まっちゃった。

フッ

元太くん、
お願〜い。

何でおればっかり！
もう５回目だぞ‼

それにラジオなんか
聞くなよ。
すぐにバッテリーが
切れちまうだろ‼

でも、退屈
なんだもの。

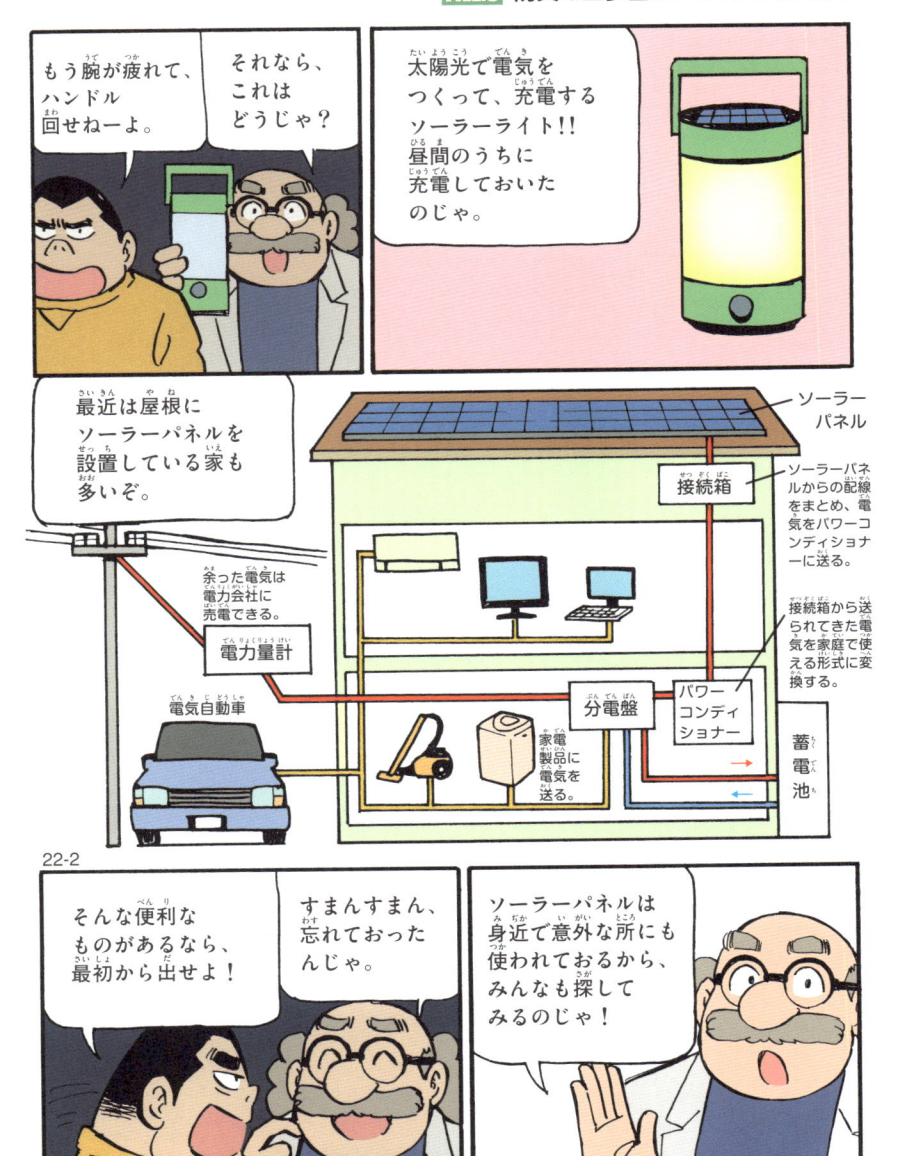

もう腕が疲れて、ハンドル回せねーよ。

それなら、これはどうじゃ？

太陽光で電気をつくって、充電するソーラーライト‼昼間のうちに充電しておいたのじゃ。

最近は屋根にソーラーパネルを設置している家も多いぞ。

ソーラーパネル

接続箱

ソーラーパネルからの配線をまとめ、電気をパワーコンディショナーに送る。

余った電気は電力会社に売電できる。

電力量計

接続箱から送られてきた電気を家庭で使える形式に変換する。

電気自動車

分電盤

家電製品に電気を送る。

パワーコンディショナー

蓄電池

22-2

そんな便利なものがあるなら、最初から出せよ！

すまんすまん、忘れておったんじゃ。

ソーラーパネルは身近で意外な所にも使われておるから、みんなも探してみるのじゃ！

解明！ 身近で意外なソーラーパネル

地球温暖化（→75ページ）の一因となる火力発電などと比べて、環境に優しいエコエネルギーとして太陽光発電は注目されているわ。あまり電力を消費しない電化製品などには、ソーラーパネルが組み込まれている場合も増えてきているの。

バッテリーチャージャー

光に当てて蓄えた電気で、スマートフォンなどを充電できる。

ソーラー腕時計

腕につけているだけで充電される。

おもちゃ

光が当たる場所に置いておくと、センサーが物音に反応して花や葉などが動く。

街灯（がいとう）
電力消費（でんりょくしょうひ）の少ないLED照明（エルイーディーしょうめい）を採用（さいよう）し、晴れではない日（ひ）が20日（かいじょうつづ）以上続いても点灯（てんとう）する。

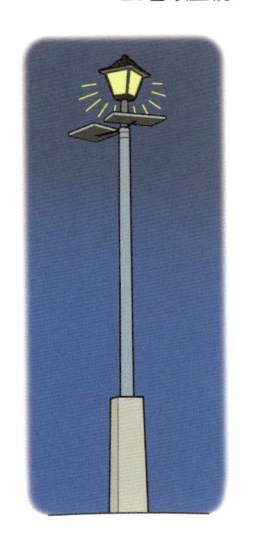

工事の標識（こうじ ひょうしき）など
昼間（ひるま）のうちに蓄電（ちくでん）し、夜間（やかん）に照明（しょうめい）が灯（とも）る。

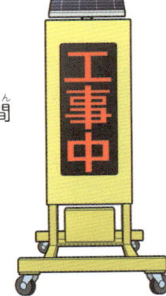

車用ソーラーファン（くるまよう）
窓（まど）を閉（し）め切（き）っていても、自動（じどう）で車内（しゃない）の空気（くうき）を換気（かんき）する。

ソーラー式交通信号機（しきこうつうしんごうき）
通常（つうじょう）の電力（でんりょく）を用（もち）いながら、災害時（さいがいじ）などで停電（ていでん）した時（とき）には太陽光発電（たいようこうはつでん）の電力（でんりょく）を使（つか）う。

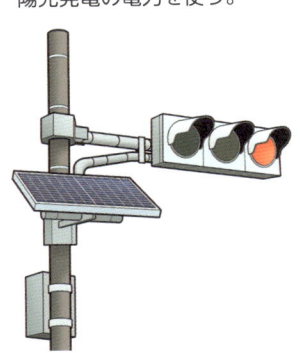

SCIENCE CONAN ● 防災の不思議

ソーラーパネルは、太陽電池（『セル』と呼ぶ）をたくさんつなげたものだ。太陽電池は、電気的な性質が異なるn型半導体とp型半導体を重ね合わせたもので、そこに光が当たると『光電効果』という現象が起こり、電気が発生する仕組みを利用しているよ。

ソーラーパネルとは？

セル

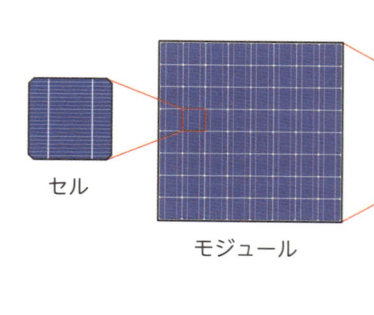

モジュール

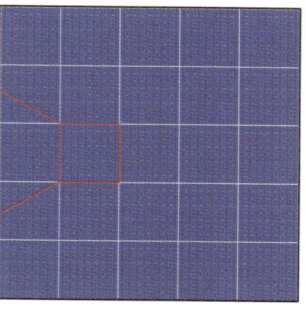

パネル

「セル」と呼ばれる太陽電池を、数十枚まとめたものを「モジュール」と呼ぶ。そして、必要な電圧と電流を得られるように、モジュールをつなげたものを「パネル」と呼ぶ。つまり、ソーラーパネルというのは、"太陽電池の集合体"を意味する言葉なのだ。

こうして発電している!!

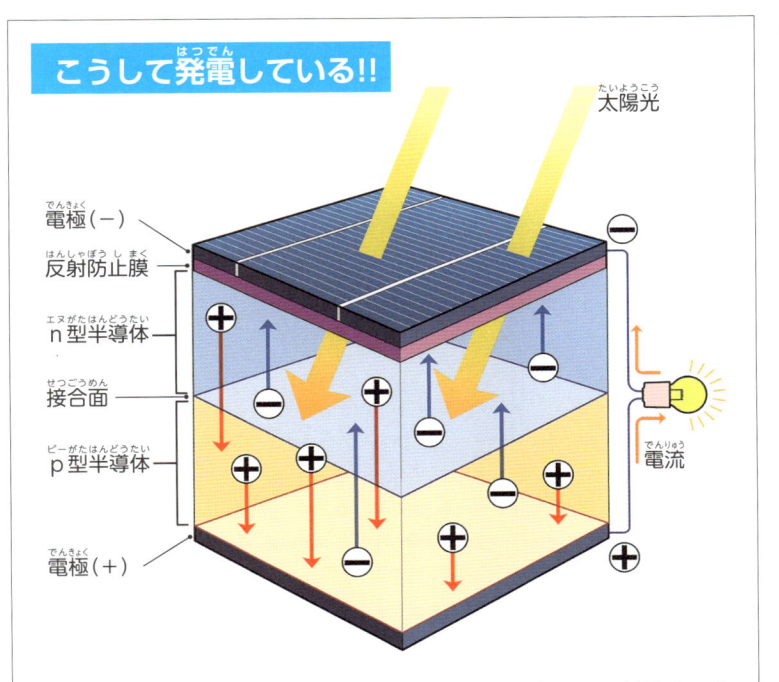

太陽光

電極（－）

反射防止膜

ｎ型半導体

接合面

ｐ型半導体

電極（＋）

電流

n型半導体とp型半導体が接している「接合面」に、太陽光などの光エネルギーが加わると、ｎ型側にマイナスの電子、ｐ型側にプラスの電子が集まり、乾電池と同じような状態になる。そして、それぞれの電極を導線でつなぐと、電気が流れるよ。

［太陽光発電の長所］

・太陽光を利用するため、発電するためのエネルギーがなくなる心配がない。
・二酸化炭素などを排出しないため、地球温暖化への影響が少ない。

など

［太陽光発電の短所］

・大量の電気をつくるためには、パネルを設置する広い土地が必要。
・夜間や雨の日などは発電できない。

など

太陽を味方にお湯をつくろう‼

コナンくん、おはよう！

おはよう。

23-1

はい、朝ご飯も乾パンだよ。

今回のキャンプは、水と電気にガスも止まっている設定だからなあ……火が使えないから、かんべんしてくれ。

たった1日だけど、もう飽きたなあ。

こういう時に備えて
家庭用のカセットコンロと、
ガスボンベを多めに
蓄えておくと、とっても
役に立つのよ。

ま、でも今日は
晴れてるし……

太陽の力を借りれば、
お昼ご飯には
レトルトカレーとみそ汁
くらいは出せると思うよ。

太陽の力?

23-2

こんな道具を使って
小さな温室をつくり、
太陽の光と熱で
お湯をつくるんだ!

黒いポリ袋

黒の
油性マーカー

ペンチ

空き缶や鍋

透明な
ビニール傘

アルミホイル

SCIENCE CONAN ● 防災の不思議

143

解明！太陽の力でお湯をつくる方法

日当たりのいい場所に

アルミシートかアルミホイルを広げ、その上に水を入れた空き缶や鍋を並べて置こう。あとは、ビニール傘の柄を、ペンチなどを使って切り、傘を鍋などの上にかぶせたら、ミニ温室の完成だ。冬の日差しでも、200mLの水が1時間で40℃くらいに温まるよ。

マーカーで黒く塗り、あればラップをかける。

鍋にもポリ袋やラップをかけると、保温効果が高まる。

水の中にレトルト食品のパックを入れておくと、一緒に温まる。

日差しの向きはすぐに変わるから、日の当たり具合をまめにチェックするとよいぞ。あと、水の量が多いと、温まるのに時間がかかる。水は鍋の半分くらいまでにして、鍋の数を増やすとよいのじゃ。車のダッシュボードを温室代わりにするのもおすすめじゃ。

フロントガラスから日差しが入るダッシュボードは、温室効果が高い。

鍋が足りなければ、黒いポリ袋に直接水やレトルト食品のパックを入れて口をしばる。

新聞紙は万能選手！？

さて、あとは水が温まるのを待つだけだ。

待ってるあいだに、カレー皿とコップをつくろうぜ。

新聞紙で！？

24-1

地震で食器が割れてしまうこともあるし……

だから新聞紙で食器をつくり、その上にラップやポリ袋をかけて使えば、水の節約になるんだ。

なるほど～。

水を節約するためには、できるだけ洗わずに済む食器の方がいいだろ？

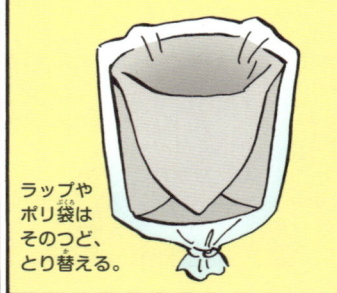

ラップやポリ袋はそのつど、とり替える。

146

紙コップのつくり方

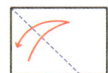 ①左右を三角形に折って、元に戻す。

 ②三角形の角に合わせて、四角に折る。

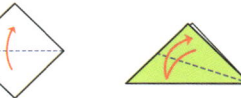 ③角と角を合わせて、三角形に折る。

④図のように折り目をつけて戻す。

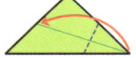 ⑤折り目をつけた所に角が合うように折る。

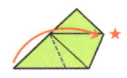 ⑥反対側の角が★印に合うように折る。

 ⑦上の三角形の部分を下に折る。

 ⑧反対側の三角形も同じように折る。

 ⑨上を広げて形を整えたら完成。

紙の器のつくり方

①新聞紙をタテ半分に折る。

②ヨコ半分に折り目をつけて戻す。

③左端を図のように開く。

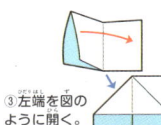 ④裏側も同じように開いたら、表裏とも重なっている紙の上１枚をめくる。

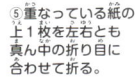 ⑤重なっている紙の上１枚を左右とも真ん中の折り目に合わせて折る。

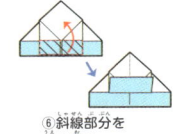 ⑥斜線部分を上に折る。

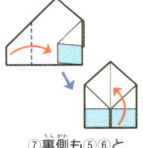 ⑦裏側も⑤⑥と同じに折る。

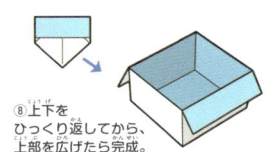 ⑧上下をひっくり返してから、上部を広げたら完成。

24-2

新聞紙１枚を丸めて芯をつくり、それを包むように新聞紙を重ねていけば、サッカーボールもつくれる。

新聞紙は、ほかにもいろいろな使い道がある災害時の万能選手なんだ。

SCIENCE CONAN ● 防災の不思議

解明！ 新聞紙はこんなことにも使える!!

新聞紙には断熱効果がある。だから、災害による停電で暖房が使えない時などには、ストールなどとして活用できるんだ。また、薪や炭がない状態で、どうしても火をたかなければならない場合は、新聞紙をかたくねじると薪代わりになるよ。

ストール

テープで貼る。

広げた新聞紙を縦長に2枚テープで留める。それを何枚か重ねて羽織ればストールになるし、毛布の代わりにもなる。

靴下と重ねばき

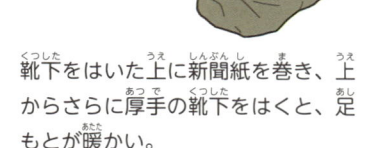

靴下をはいた上に新聞紙を巻き、上からさらに厚手の靴下をはくと、足もとが暖かい。

腹巻き

下着と上着のあいだに新聞紙を巻き、その上からさらにラップを巻きつける。

クッション

1～2日分の朝刊を二つ折りにたたみ、レジ袋の中に入れる。

そえ木

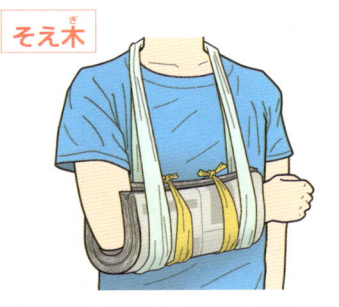

重ねた新聞紙を骨折した場所を覆うように巻き、バンダナなどで結ぶ。

新聞紙でたき火をする

火事やヤケドに注意！！

必ずおとなの人とやること！！

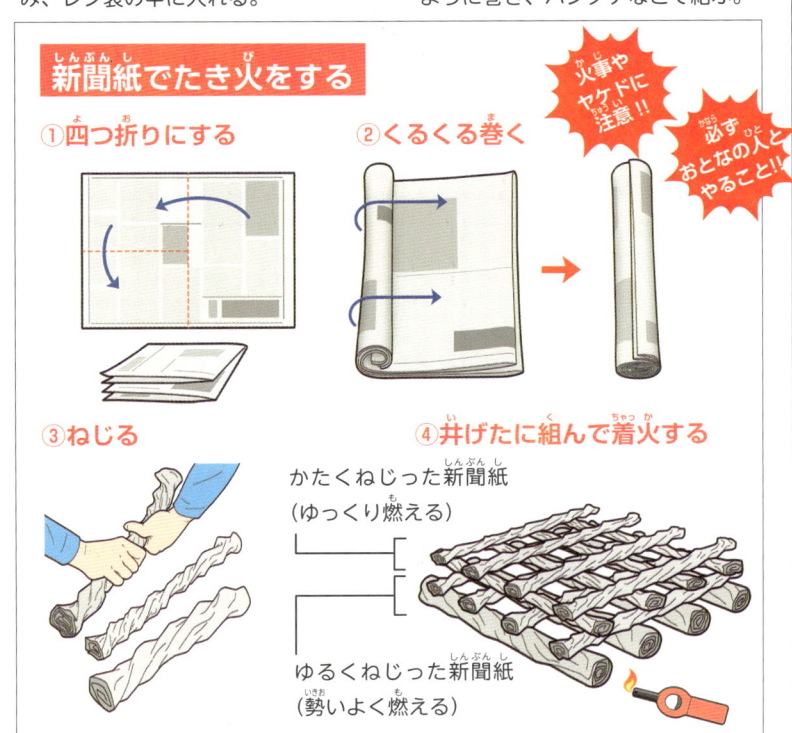

① 四つ折りにする

② くるくる巻く

③ ねじる

④ 井げたに組んで着火する

かたくねじった新聞紙
（ゆっくり燃える）

ゆるくねじった新聞紙
（勢いよく燃える）

SCIENCE CONAN ● 防災の不思議

ほかにもある身近な万能選手たち

さて、キャンプもそろそろお開きじゃが……

新聞紙に限らず、災害で物資が乏しい時には、身近なものを工夫して活用することが大切なんじゃ。

おうっ。

よく分かったわ。

それじゃあ、新聞紙のほかにどんなものがあると便利だと思う？

トイレづくりでもそうでしたが、大きなポリ袋は新聞紙と合わせて使う機会が多そうですね。

そうですねえ……

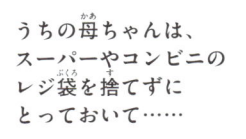

うちの母ちゃんは、
スーパーやコンビニの
レジ袋を捨てずに
とっておいて……

ふだんから
ゴミ袋として
活用してるぞ。

ラップや
アルミホイルは
お湯をつくる時に
必要だったし……

空のペットボトルも
こんなふうに切れば、
食器やコップに
なりそうね。

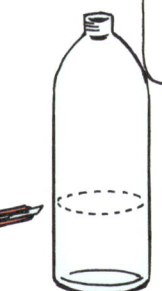
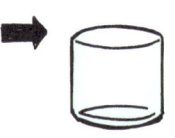

25-2

それではこれから、
レジ袋など身近な
万能選手たちの便利な
使い方をいくつか
教えてしんぜよう。

みんなもいざという時の
ためにいろいろ試して、
実用的なアイディアは
書き留めておこう!

解明！身近な道具の活用術!!

ここで紹介する活用術は、ほんの一例だ。
家庭の中にあるもののほか、
100円ショップなどで購入できるものにも、
いろいろな活用法があるから、自分でいろいろ
試してみてね!!

レジ袋

ランタン

懐中電灯に白いレジ袋をかぶせると、光が優しく広がる。

レインハット

鼻や口を
ふさがないよう
に注意!!

レインシューズ

ロープ

火に
弱いので
注意!!

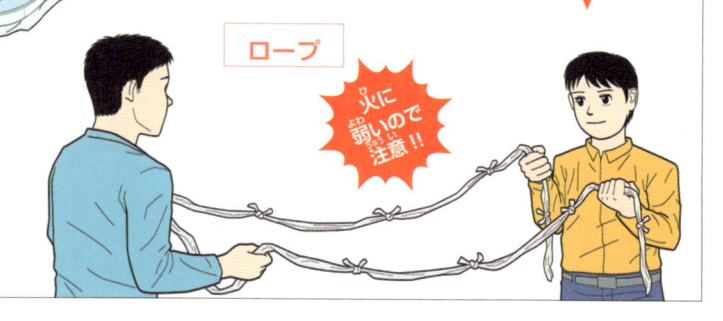

ポリ袋

クッション
空気を半分くらい入れ、ひもで口を結ぶ。

水のタンク
段ボール箱を布製の粘着テープで補強し、ポリ袋を敷く。

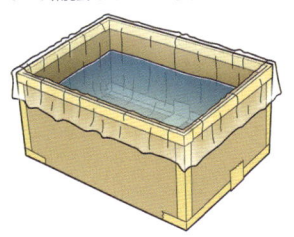

ペットボトル

じょうご

カイロと湯たんぽ
お湯を入れてタオルで巻く。

ラップ

包帯
止血後の患部を保護したり、骨折した時のそえ木を固定。

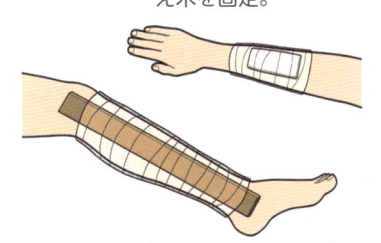

食器にかぶせる
食後にラップだけをはがして捨てて、食器を洗う水を節約。

天気を読む"観天望気"

さて、これにて
サバイバルキャンプは
終了じゃが……

みんな、しっかりと
防災の知識を
身につけたかな？

おれも明日から
朝のニュースで
天気予報をチェック
するぜ！

ふだんから
しっかり準備しておく
ことが大切だと
分かったわ。

26-1

でもよー……
テレビの天気予報とかが
なかった昔の人たちは、
明日の天気が分からなくて
大変だったんだろうな。

昔の人たちは
その代わり、
観天望気という
知恵を身につけて
おったのじゃよ。

カンテンボーキ!?

観天望気とは、自然を観察することで天候の変化を読みとるテクニックなんだ。

長いあいだの経験則から生まれた観天望気は、天気予報の技術が発達した現代においても、漁師や船乗り、登山家たちには欠かせない知識なんだよ。

例えば、観天望気では『夕焼けの次の日は晴れ』とされているけれど……

日本の上空には『偏西風』という風が西から東へ吹いている。このため、高気圧や低気圧が東に流され、天気が西から変わっていくことを示しているんだ。

西に沈む夕陽が見えるということは、西側の天気が晴れていることを示す。

天気は西から東へ移動する。だから、前日に夕焼けが見えた場所の天気は、翌日に晴れる。

観天望気で長期の天気を予測するのは難しいけれど……。

海や山での天候の急激な変化をつかむためには有効な手段よ。

みんなも自分の命を守るため、観天望気による天気の読み方をぜひ身につけてね！

26-2

解明！観天望気あれこれ

統計的には、気象庁が発表する天気予報の的中率は80％程度だそうだよ。そして、残りの20％は、観天望気で予想できる場合が多いそうなんだ。観天望気は、ここで紹介したほかにもあるから、インターネットなどで調べてみてね!!

太陽や月に輪がかかると雨か曇り

星が瞬くと強風

うろこ雲は雨

笠雲は雨

ツバメが低く飛ぶと雨

クモの巣に水滴がついていたら晴れ

ミミズが出てきたら雨

遠くの音がよく聞こえると雨

ガタン
ガタン

飛行機雲がすぐに消えると晴れ

夏の朝曇りは晴れ

SCIENCE CONAN ● 防災の不思議

宇宙空間は、ヒトにとって、とても過酷な環境だ。空気のない真空だから、まず呼吸ができないし、太陽の光が当たる所は100℃を超え、陰の部分はマイナス100℃以下になる。

このような宇宙空間に滞在する宇宙飛行士のために開発された品じなは、今では一般向けの製品としても販売されている。宇宙技術を用いたグッズは、みんなが災害に遭って、過酷な避難生活を強いられた時にも、必ず役立ってくれるはずだよ。

フリーズドライ食品とレトルト食品

宇宙食として知られるフリーズドライ食品とレトルト食品は、ともに保存性と携行性にすぐれている点が特徴だ。防災食品として、家庭に備蓄しておこう。

アルミ蒸着シート

ポリエステル製のフィルムに、アルミニウムを蒸着してつくられた極薄素材の防風・防寒・防水シート。災害時に毛布などとして使うほか、簡易トイレのカーテンなどとしても使える。

簡易トイレ用の凝固剤

パウダー状の凝固剤を振りかけると、排泄物が固まる。そのうえ、配合された消臭剤によってにおいも軽減されるため、排泄物をより衛生的に扱えるんだ。一般ゴミとして捨てることが可能だよ。

虫歯の進行を予防する
歯みがきペースト

宇宙飛行士の歯や骨の健康を補うために開発された、「ハイドロキシアパタイト」という成分を配合した歯みがきペースト。初期の虫歯の進行を予防する効果があるよ。

汗がにおわない下着

洗濯することができない宇宙空間でも着られるように、日本のメーカーが日本の宇宙技術を使って開発した。速乾性と通気性にすぐれているうえ、消臭テクノロジーにより汗をかいてもにおわない。

SCIENCE CONAN ●防災の不思議

staff

- ■原作／青山剛昌
- ■監修／川村康文（東京理科大学教授）
- ■まんが／金井正幸
- ■構成／新村徳之（DAN）
- ■イラスト／加藤貴夫
- ■ＤＴＰ／株式会社昭和ブライト
- ■デザイン／竹歳明弘、齋藤ひさの（STUDIO BEAT）
- ■校閲／目原小百合
- ■編集協力／田端広英

- ■編集／藤田健彦

小学館学習まんがシリーズ

名探偵コナン実験・観察ファイル

サイエンスコナン
防災の不思議

| 2017 年 8 月 30 日 | 初版第 1 刷発行 |
| 2024 年 2 月 19 日 | 第 2 刷発行 |

発行人　野村敦司
発行所　株式会社　小学館
〒 101-8001
　　　　東京都千代田区一ツ橋 2-3-1
　　　　電話　編集／ 03(3230)5632
　　　　　　　販売／ 03(5281)3555
印刷所　図書印刷株式会社
製本所　共同製本株式会社
© 青山剛昌・小学館　2017　Printed in Japan.
ISBN 978-4-09-296635-2　Shogakukan,Inc.

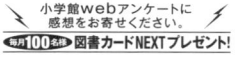

小学館webアンケートに
感想をお寄せください。
毎月100名様 図書カードNEXTプレゼント！

読者アンケートにお答えいただいた方
の中から抽選で毎月100名様に図書
カードNEXT500円分を贈呈いたします。
応募はこちらから！▶▶▶▶▶▶▶▶▶
http://e.sgkm.jp/296635
（サイエンスコナン　防災の不思議）